내 아이를
행복한 리더로 키우는
5 가지 지혜

김종연 김지상 민광순 손정미 조운숙

내 아이를
행복한 리더로 키우는
5가지 지혜

발 행 일	2024년 2월 15일
지 은 이	김종연 김지상 민광순 손정미 조운숙
기 획	최성모
편 집	권 율
디 자 인	김현순
발 행 인	권경민
발 행 처	한국지식문화원

출판등록	제 2021-000105호 (2021년 05월 25일)
주 소	서울시 서초구 서운로13 중앙로얄빌딩 B126
대표전화	0507-1467-7884
홈페이지	www.kcbooks.org
이 메 일	admin@kcbooks.org
ISBN	979-11-7190-007-7

내 아이를
행복한 리더로 키우는
5가지 지혜

김종연 김지상 민광순 손정미 조운숙

생생한 교육 현장의 목소리!
유아교육 전문가들이 전하는
우리 아이 행복 열쇠

한국지식문화원
BOOK PUBLISHING

"내가 알아야 할 모든 것은 유치원에서 배웠다."
- 로보트 폴검-

유아교육을 천직으로 여기며 아이들의 미래를 책임지겠다는 소명을 가지고 30년이 넘는 시간을 한길을 걸어오신 원장님들께 박수를 보냅니다.

교육 전문가로서 그동안의 경험을 부모님들께 나누어주어 도움이 되고자 바쁘신 중에도 책을 내신 원장님들께 다시 한번 축하드립니다.

한 번도 가보지 않은 길은 누구에게나 낯설고 힘든데 용기를 내서 도전하시고 끝까지 마무리하셔서 이 책이 나오게 되었습니다.

백세시대에 이제 절반을 사셨습니다. 누구나 쓸 수 있지만 아무나 쓰지 못하는 책쓰기를 통해 남은 삶이 더욱 폭 넓어지고 터닝포인트가 되시길 소망합니다.

기획인
유아교육 전문가, 박사
최성모

오랜 기간 유아교육 분야의 생생한 현장 경험을 지닌 5인의 전문가가 어린이들의 성장과 교육에 관한 귀중한 지혜와 통찰력을 주고자 함께했습니다.

저자들은 감정적인 지원과 긍정적인 교육 환경이 어린이들의 자아 개발에 어떻게 영향을 미치는지에 대한 관점을 제시하고 있습니다.

이 책은 독자들에게 현대 어린이 교육에 관한 새로운 시각과 아이디어를 제시합니다. 부모와 교사들에게 어떻게 어린이의 발달과 성공을 지원할 수 있는지에 대한 구체적인 조언과 전략을 전달합니다.

이 책을 통해 새로운 아이디어를 찾고, 어린이들과의 관계를 더욱 풍부하게 만들어 나가길 바랍니다. 어린이들의 미래를 위해 함께 노력하며, 이 책이 부모, 교사들께 큰 영감을 주길 기대합니다.

발행인
한국지식문화원 대표
권경민

TABLE OF
CONTENTS

김 종 연
kids0113@hanmail.net

국공립 범박어린이집 원장
유아교육 경력 35년
인천대학교 교육대학원 유아교육 석사
전국 장애통합어린이집협의회 부회장
부천시 장애통합어린이집협의회 회장
RT 부모교육 전문강사
인천시 효행장려센터 효인성 전문강사

"꿈을 계속 간직하고 있으면
반드시 실현할 때가 온다."

                    -괴테

행복한 아이
행복한 부모

자녀는 신께서 나에게 준 선물이다.
아이들의 권리에 날개를 달아주어
아이가 행복한 세상을 만들어 주자.

함께하면
행복은 두 배

우리 함께해요

부모가 된다는 건 누구나 처음이다. 아이를 처음 키우는 일이 쉽지 않다는 걸 부모들은 잘 안다. 어떤 날은 말을 잘 듣다가도 어떤 날은 속에서 묵직한 것이 욱하고 올라오게 할 때가 있다. 이유 없이 떼를 쓰고 길에서 소리 지르며 뒹굴 때, 창피하기도 하고 달래지지 않아서 부모지만 울고 싶을 때가 있다. 특히 또래 아이들과 비교해서 혹시 우리 아이가 발달에 문제가 있는 건 아닐까? 하고 의심이 들 때쯤 어린이집 선생님이 상담을 요청하면 가슴이 쿵! 하고 내려앉는다.

선생님들은 부모에게 발달 상담을 요청할 때 신중하게 고민하고 아주 큰 용기를 내야 한다. 왜냐하면 부모들이 받을 상처가 큰 것을 알기에 말하기가 조심스럽다. 그럼에도 불구하고 부모에게 말하는 이유는 아이를 위한 것이다. 만약 발달에 문제가 있으면 적기에 치료나 개별 프로그램이 들어가면 발달이 빠른 걸 알기 때문이다.

"어머님 00이가 또래와 좀 다른 행동을 합니다."

"네? 어떻게 다른가요?"

"00이가 말할 때 눈을 마주치지 않아요." 하고 말하면

상담을 마치고 나가는 엄마의 뒷모습이 걱정으로 가득하다.

검사 결과 발달이 느리다는 의사의 진단이 나오면 부모들은 앞이 깜깜해진다. 그러나 느리다고 낙담하고 있으면 아이가 달라지지 않는다. 아니 더 나빠질 수도 있다. 아이에게 맞는 치료실과 어린이집에서 안내하는 방법으로 아이에게 최선을 다하여 발달을 촉진 시켜야 한다.

10여 년 전에 마라톤을 시작하고 풀코스에 도전한 적이 있다. 처음으로 도전한 마라톤 풀코스는 완주를 못 하고 중간에 포기했다. 중도에 포기한 것이 자존심이 상하고 이기지 못한 것에 대한 자책과 실망감이 있었다. 그렇지만 포기하지 않고 두 번째 도전했다. 첫 번째와 마찬가지로 중간에 포기하고 싶은 구간이 왔다. 걸음을 걷기도 힘든 상태로 억지로 걸음을 걸을 때 뒤에서

"뛸 수 있어요."

"함께 뛰어요."

"하나, 둘, 하나, 둘!"

일면식도 없는 나에게 구령을 붙여주며 등도 밀어주고 응원으로 함께 한 사람들 덕분에 완주할 수 있었다.

마라톤을 한 경험은 나에게 삶의 지혜를 주었다. 오르막과 내리막이 수없이 반복되는 시간이 지나면 완주의 기쁨이 있다는 걸, 힘든 일이 있으면 기쁘고 행복한 일이 있고 또 포기하고 싶을 때 주변에서 용기를 주면 다시 일어날 수 있다는 걸 알았다.

발달이 느리다고 낙심하지 말고 느린 아이에게 적절한 치료와 포기하지 않고 열심히 노력하면 분명 아이들은 좋아질 것이다.

엄마들이 아이를 치료실에 데리고 다니면서 가끔 아이들의 돌발행동으로 인하여 힘들고 지칠 때가 있다. 그럴 때 옆 사람들의 응원과 도움으로 마라톤에 완주할 수 있었던 것처럼 내가 아니 우리가 힘들어하는 엄마들께

"할 수 있어요."
"우리 함께 힘을 내요."
등도 밀어주고 손도 잡아 주면서 페이스메이커가 되어주면 좋겠다.

힘들어도 함께 하면 할 수 있다.

행복은 선택이다

우리는 행복하기를 원한다. 사람들과 어울리며 다른 사람들의 감정에 신경 쓰고 마음 다치지 않기 위해 애를 쓴다. 우리가 행하는 일상이 결국은 행복감을 느끼고 기쁨을 얻기 위한 것이다. '행복하다'라는 것은 어떤 상태를 말하는가?

> 행복은 좋은 감정으로 심리적인 상태 및 이성적 경지
> 또는 자신이 원하는 욕구와 욕망이 충족되어
> 만족하거나 즐거움과 여유로움을 느끼는 상태,
> 불안감을 느끼지 않고 안심해 하는 것을 의미한다.

행복은 개인이 느끼는 좋은 감정으로 즐거움과 기쁨을 느끼는 것이다. 이것은 본인이 어떻게 받아들이고 내가 어떻게 느끼는가이다. 외부에서 주는 환경에 내가 어떤 선택을 하는가이다.

예를 들면 아침에 일어나보니 눈이 많이 내렸다. 부정적으로 생각하면 오늘 아침 출근하는 길이 막히고 미끄럽고 질퍽해서 짜증 난다고 생각할 수 있다. 반대로 긍정적인 생각을 하는 사람들은 새하얗게 내린 눈이 너무 예뻐서 아침에 기분이 좋아진다고 느낄 수도 있다.

우리는 어떤 것을 선택할 것인가. 피할 수 없으면 즐겨라. 눈은 이미 내렸고 상황이 바뀌지 않는 일이라면 긍정적으로 생각하고 즐거움을 선택하면 행복해진다. 결국 행복도 내가 선택한 것이다.

행복은 전염된다. 긍정적이고 밝은 에너지를 가진 사람 옆에 있으면 나도 행복하고 밝아진다. 그 사람의 에너지가 나에게 전이되기 때문이다. 부모와 아이들이 함께 있는 시간이 많기 때문에 부모들의 에너지가 아이에게 직접적인 영향을 준다. 부모가 행복해하고 밝은 에너지를 가지면 아이는 부모와 같은 에너지를 그대로 받아서 행복하고 밝은 에너지를 가질 것이다. 우리는 어떤 에너지를 선택할 것인가. 당연히 행복한 것을 선택할 것이다. 행복해지려면 행복한 요인을 억지로라도 찾아서 해야된다.

"우리 아이가 건강해서 행복해."
"어린이집에 웃으며 들어가서 행복해."
"우리 아이가 나에게 웃어주니 행복해."
하고 생각하면 행복을 느낄 수 있다.

우리 아이를 행복한 아이로 키우느냐 불안하고 우울한 아이로 키우냐는 부모인 나에게 책임이 있다. 우리 아이를 유능한 아이로 키우고 이 세상에서 성공하기를 바라는 것도 결국은 아이가 행복하기를 바라기 때문일 것이다. 그러나 행복은 외부에서 주어지는 것은 아니다. 사회적으로 성공한 사람도 우울감에 시달리고 만족하지 못해 극단적 선택을 하는 사람들을 뉴스를 통해 접할 때 우리의 행복이 성공과 반드시 비례하지는 않는다는 것을 알 수 있다.

긍정적인 사람들은 모임에서 인기가 많다. 공동체 생활을 하는 우리는 관계를 잘 맺는 사람들을 선호하고 좋아한다. 불편을 주는 사람은 친구 관계에서 어려움을 느낄 수밖에 없다. 내가 행복하다고 생각하면 행복이 찾아온다는 것을 아이들도 알았으면 좋겠다. 그러므로 행복을 전달하는 아이들은 친구들과 관계를 잘 맺는 아이가 될 것이다.

행복은 내가 선택하는 것이다. 부모가 긍정적으로 선택하는 모습을 보여주면 아이들은 자연히 부모를 모델링하여 아이도 긍정적으로 생각하는 행복한 아이가 될 것이다.

아이가 행복하면 나도 행복하다

얼굴엔 ~ 웃음,
마음엔 ~ 여유,
가슴엔 ~ 사랑을~

신학기가 시작되는 3월 아침은 등원 시간이 '전쟁터'이다. 엄마들이 아이들을 교사에게 맡기고 출근할 때 우는 아이, 소리 지르며 엄마에게 매달리는 아이, 선생님이 안아서 들어오면 선생님을 발로 차고 때리는 아이들로 인하여 현관은 시끌벅적하다.

아이가 잘 적응할까? 하는 걱정에 발길이 떨어지지 않아 교실 유리창에 얼굴을 붙이고 있는 엄마, 돌아서서 눈시울을 적시며 한동안 어린이집을 떠나지 못하는 엄마를 보면서 나도 첫 아이를 어린이집에 맡기며 발길이 얼른 떨어지지 않았던 생각이 나서 엄마들 마음에 공감이 간다.

부모들은 아이들이 어떤 아이로 자라기를 바랄까? 우리 원에 맡길 때 어떤 생각과 기대로 어린이집에 보낼까? 내가 생각할 때 우리 부모들의 바람은 한가지일 것이다. 내 아이가 행복하기를 바랄 것이다. 범박어린이집의 원훈도 '심신이 건강하고 행복한 어린이'인 것도 교직원 모두가 아이들이 행복했으면 하는 바람이 들어가 있다.

아이들의 입에서

"선생님이 좋아요."

"어린이집이 재미있어요."

하며 휴일에도 어린이집에 가고 싶다는 엄마들의 이야기를 들을 때 행복하고 뿌듯하다.

부모가 행복하고 교사가 행복해야 아이도 행복할 수 있다. 내가 행복하지 않은데 상대방의 감정에 공감할 수 있을까? 감정은 나의 마음과 생각에서 나오기 때문에 내가 편안하고 행복해야 아이에게 따뜻한 표정과 부드러운 말이 전달될 수 있다.

부모들은 아이가 힘들어하면 부모의 마음은 더 힘들다. 부모가 행복할 때 우리 아이들이 행복할 수 있다. 그래서 부모들은 아이들 앞에서 행복해하는 모습을 보여주어야 하며 아이들은 그런 부모 모습을 보면 마음이 안정되고 행복할 수 있다. 그리고 그런 마음으로 어린이집 생활도 즐겁게 할 수 있다.

우리 아이들이 행복하고 학습도 잘하고 창의력도 풍부한 아이로 자라길 바란다. 어린이집을 졸업한 아이들이 더 넓은 세계로 뻗어 나가 글로벌한 아이가 되길 소망한다. 그렇게 되려면 부모가 행복해져야 한다.

행복한 아이

늦게 피어도 예쁜 꽃

옛날 어른들의 말씀이 아이들은 아무리 보아도 질리지 않고 시들지 않는 꽃이며, 아이들이 있어야 집안에 웃음꽃이 핀다고 했다. 같은 꽃이라도 피는 시기는 다르고, 꽃이 늦게 핀다고 색이 다르고 이쁘지 않은가? 그렇지 않다 늦게 피어도 더 이쁘고 아름다울 수도 있다. 우리 아이들도 아이마다 피는 속도나 시기가 다르다.

느린 아이들에게
"늦어도 괜찮아."
"천천히 가도 돼, 할 수 있어." 하며
재촉하지 않고 기다려 주면 아이들은 충분히 잘한다.

모든 부모들은 우리 아이가 발달이 빠르길 원한다. 또래와 발달 시기가 다르다고 해서 발달이 안되는 것은 아니다. 속도의 차이가 있을 수 있다는 것을 알고, 느리면 느림에 부모가 속도를 맞추어야 한다. 아이의 흥미와 욕구 관찰해서 아이가 잘하는 것에 집중하기를 권한다. 아이가 잘하는 것은 칭찬하고 아이의 행동에 즉각적으로 반응해주면 아이는 느려도 발달한다.

발달이 느리거나 장애가 있다고 낙심하지 말고 아이의 재능을 발견하길 바란다. 발달이 느리거나 장애가 있어도 성공한 사람들이 많다. 부모가 아이를 관찰하고 재능을 발견하여 그것을 지원해 주어 성공으로 이끈 사례를 매스컴을 통해 볼 수 있다.

양손 네 손가락으로 피아노를 친 이희아는 자신의 신체적 결함을 극복하고 세계적으로 유명한 피아니스트가 되었다. 발달장애 이승민 골프선수도 US 어댑티드 오픈(US 장애인 오픈)에서 초대 챔피언이 되었고, 발달장애로 마라톤 풀코스를 완주한 '말아톤' 영화의 주인공 김진호의 이야기는 나에게 큰 감동을 주었다.

그 뒤에는 인내와 끈기로 기다리며 포기하지 않고 노력한 훌륭한 부모가 있다. 장애가 있어도 아이가 잘할 수 있는 것을 찾으면 성공할 수 있다는 것을 사례들을 접하며 용기를 얻길 바란다.

늦어도 천천히 여유를 가지고 기다리면 우리가 바라는 목표에 도달할 수 있다. 아이들의 발달은 부모들의 노력이 뒷받침되지 않으면 어려운 일이다. 발달이 늦은 아이를 키우는 부모들이 얼마나 어려운 일이 많은지 안다.

때로는 좌절하고 때로는 새로운 변화에 천하를 얻은 것처럼
"원장님! 우리 아이가 '엄마'라고 했어요."
"원장님! 우리 아이가 저와 눈을 맞춰요."
"원장님! 우리 아이가 '아니야' 소리를 해요."
라며 두 손 모아 감사하다고 말할 때 가슴이 뭉클해진다.
우리 아이들은 눈에 잘 보이지는 않지만 성장하고 있다.
부모들이 아이가 발달이 느리다고 속상해할 때 나는 이 글을 자주 들려준다.

콩나물 시루에 물을 주듯이

콩나물 시루에 물을 줍니다.
물은 그냥 모두 흘러내립니다.
퍼부우면 퍼부은대로
그 자리에서 물은 모두 아래로 빠져 버립니다.
아무리 물을 주어도
콩나물 시루는 밑빠진 독처럼
물 한방울 고이는 법이 없습니다.

그런데 보세요

콩나물은 어느 새 저렇게 자랐습니다.
물이 모두 흘러내린 줄만 알았는데
콩나물은 보이지 않는 사이에 무성하게 자랐습니다.
물이 그냥 흘러 버린다고
헛수고를 한 것은 아닙니다.

아이들을 키우는 것은 콩나물 시루에
물을 주는 것과도 같다고 했습니다.
아이들을 교육시키는 것은
매일 콩나물에 물을 주는 일과도 같다고 했습니다.
물이 다 흘러내린 줄만 알았는데
헛수고인줄 알았는데
저렇게 자라고 있어요.

물이 한 방울도 남지 않고 모두 다 흘러 버린 줄 알았는데
그래도 매일매일 거르지 않고 물을 주면 콩나물처럼 무럭무럭 자라요.
보이지 않는 사이에 우리 아이가

〈이어령의 '천년을 만드는 엄마' 중에서〉

서두르지 말고 천천히 믿고 기다려 주면 아이들은 늦어도 귀하고 예쁜 꽃으로 핀다. 범박어린이집과 교사 부모 지역사회가 함께하면 훌륭한 아이들로 키울 수 있다고 믿는다.

우리는 서로 달라요

아이들의 발달은 개인차가 있어서 아이마다 다르다. 어떤 아이는 활동량이 많아 교실을 뛰어다니면서 친구들을 툭 툭 치며 잦은 다툼을 일으키는 아이도 있고, 어떤 아이는 얌전히 앉아 움직이기를 싫어하는 아이도 있다. 이렇게 산만하고 움직임이 많은 아이를 과잉행동으로, 움직이기 싫어하는 아이를 소극적인 아이로 문제가 있다고 말할 수도 있다.

"선생님! 또래 아이들은 말을 잘하는데, 우리 아이는 아직 못해요."
"선생님! 우리 아이는 아직 기저귀를 못 뗐어요."
하며 부모들은 아이가 문제가 있다고 걱정한다.

아이들이 어른들의 기대에 못 미친다고 문제가 있는 건 아니다. 엄마가 볼 때 또래 아이와 행동이 다르다고 발달이 느린 아이로 오해할 때가 있다. 그렇게 생각하는 부모들이 미리 단정하고 치료실을 여기저기 찾아다니기도 한다. 우리 아이들은 성장 속도가 다르기 때문에, 또래 아이보다 말을 먼저 하는 아이도 있고 또래보다 글을 일찍 깨치는 아이도 있다.

범박어린이집은 2003년부터 장애아동과 비장애아동이 함께 교육하는 통합 어린이집이다. 이 중에는 또래보다 발달이 느린 아이도 있고 또래보다 발달이 빠른 아이도 있다. 우리가 아이들의 개인차를 인정하면 아이들을 대하는 태도가 달라진다.

아이들은 느려도 빨라도 모두 소중하고, 느릴수록 기다림의 열매는 더욱 기쁨을 주고 감동을 준다. 우리 아이들이 노력하여 하나의 목표를 성취할 때 더 큰 보람과 기쁨을 느낀다.

세계인권선언 제1조에 "인간은 태어나면서부터 자유롭고, 존엄성과 권리에 있어 평등하다."고 명시되어 있다. 이것은 누구나 태어나면서 어른이든 아이든 장애를 가졌든, 가지지 않았든 모두에게 주어지는 권리이기 때문에 존중해야 한다.

유엔아동권리협약 제23조에는 당사국은 정신적. 신체적 장애아동이 인격을 존중받고 자립과 적극적 사회 참여가 장려되는 여건에서 여유롭고 품위 있는 생활을 누려야 함을 인정한다. 라는 명시가 있다.

우리는 아이들이 서로 다르고 발달도 차이가 있음을 인정하고 서로서로 도움을 주고받는 상호 관계 속에서 행복한 삶이 이루어지길 바란다. 나와 모습과 생각이 다르다고 무시하고 놀리지 않고 어떠한 상황에서도 긍정의 마음을 갖고 행복했으면 좋겠다.

우리가 서로 공동체로 살면서

"너는 틀려."보다는
"너와 나는 다르니까." 하고
서로 존중하고 배려하고 아껴주는 아이들로 자라길 바란다.

좋은 습관으로 행복 만들기

"세 살 버릇 여든까지 간다."

우리는 좋은 습관을 갖기를 원한다. 부모들은 아이가 어리다고 제 시기에 갖추어야 하는 예절을 무시하고 부모가 편한 대로 교육한다. 식당에서 아이 기죽인다고 공중도덕을 어기는 행동에도 교육하지 않는 경우가 있다. 다른 사람의 얼굴을 찌푸리게 하는 행동은 공중도덕을 가르치지 않기 때문이다.

좋은 습관 들이기는 어렸을 때부터 생활화가 되어야 한다. 뇌 발달은 영유아기 때 80%가 완성된다. 우리의 행동과 습관은 뇌의 영향을 받고 그것이 고착되면 고치는데 많은 시간과 노력이 소모된다. 우리는 이런 소모적인 시간을 줄이려면 영유아기 때가 좋은 습관을 들이는 적기이다. 좋은 습관은 멋있는 사람으로 만들어준다. 성공한 사람들의 어린 시절을 보면 좋은 습관을 가지고 있는 경우가 많다.

반면 나쁜 습관은 사람을 황폐하게 만들 수도 있다. 본인이 노력해도 엄청난 노력과 시간이 지나야 고칠 수 있다. 아니 고쳐지지 않는 것도 있다. 누구나 좋은 습관을 갖고 싶어 한다. 왜 우리는 후회할 줄 알면서도 나쁜 행동을 계속하는가. 그것은 습관이 그만큼 수정하기 힘들기 때문이다.

습관을 고치는 데 걸리는 시간이 영유아기는 1년이 소요된다면 청소년기에는 3년이 걸리고 성인이 되어서는 습관을 고치기가 어렵다. 특히 남편의 습관을 고치는 것은 포기해라. 남편의 습관을 고치는 것보다 이혼하는 게 빠르다고 할 정도로 우리의 습관이 자리 잡으면 고치기가 힘들다. 그래서 영유아기부터 좋은 습관을 가지도록 하는 것이 중요하다.

지금까지 내가 후회하는 것 중 하나는 아이에게 책 읽는 습관을 들여주지 못한 것이다. 직장 다니고 바쁘다는 핑계로 책 읽는 습관을 들여주지 못했다. 그렇지만 우리 부모들은 지금부터라도 하면 된다. 책 읽는 습관을 들여주기 위해 매일 일정한 시간에 책을 한 권씩 읽는 것부터 실천해 보자. 몇 번 읽어주고 피곤하고 시간이 없어서 이런저런 이유로 실천하지 않으면 습관은 형성되지 않는다. 범박어린이집 졸업생 부모의 성공 사례를 보면 어린이집 끝나고 집에 오면 매일 한 권씩 책을 읽어주었더니 아이가 초등학교 갈 시기가 되니까 스스로 매일 한 권씩 읽는 버릇이 생겼다고 한다.

문해력을 키우려면 책을 많이 읽어야 한다. 모든 과목은 문해력이 좋은 아이들이 좋은 성적이 나온다. 책을 많이 읽는 아이들이 공부를 잘한다고 한다. 아이들의 좋은 습관은 부모의 노력이 필요하다.

둘째가 중학교 입학을 두고 수학이 부족하여 학원에 상담하러 갔는데 수학 학원 원장님이 책을 많이 읽게 하라고 권하셨다. 수학 학원 원장님이 독서를 권하는 게 일반적이지 않다고 생각했다. 그런데 학원 원장님 말을 듣고 이해했다.

"수학을 잘하려면 문제를 잘 이해해야 잘 풀 수 있습니다."

"수학도 문해력이 좋은 아이가 수학을 잘합니다."라고 하셨다.

그래서 책 읽는 습관을 들여주는 것은 미래의 우리 아이들이 훌륭하게 자랄 수 있는 밑거름이 된다고 생각한다.

찰스 두히그는 좋은 습관 만드는 방법은

우리가 바꿀 수 있는 것에 집중하는 것이라고 하였다.

〈좋은 습관 갖기 위한 4단계〉

1. 반복 행동을 찾아라.
2. 다양한 보상으로 실험해 보라.
3. 신호를 찾아라.
4. 계획을 세워라.

습관은 지속적이고 매일 반복이 되어야 가능하다. 어른이 되어 고생을 안 하려고 하면 영유아 시기에 좋은 습관을 들여주는 것이 중요하다. 아이들은 엄마 아빠의 뒷모습을 보고 자란다. 부모는 아이들의 거울인 것이다. 어른들이 바른 습관으로 생활할 때 아이들도 바른 습관을 가지고 행복하게 살 수 있다.

공감 능력으로 행복 키우기

우리 아이 행복하기를 바라나요? 인간은 누구나 행복해지고 싶다. 그러나 행복해지고 싶다고 행복이 찾아오는 것은 아니다. 행복은 자기가 만족이 되었을 때 느끼는 것이 행복이다. 우리 아이들이 자신에게 만족하고 행복해지면 좋겠다.

폴 에그만은 인간은 누구나 6가지 핵심감정이 있다고 했다. 핵심감정에는 기쁨, 슬픔, 공포, 분노, 혐오, 놀람이라고 했다. 또한 각 감정을 불러일으키는 동인을 통해 감정을 보다 깊이 이해할 수 있다고 했다.

학기 초에 교실에서 날 미소 짓게 한 일이 생각난다. 우리 어린이집에서 제일 어린 반이 만 1세 반이다. 등원 시간에 교실에 들어갔는데 학기 초라 아직 엄마와 떨어질 때 우는 아이가 있었다. 여자아이가 그 우는 아이를 물끄러미 쳐다보더니 자기 얼굴을 우는 아이 코 밑에 갔다 대고 그 아이를 쳐다보며 등에 손을 대고,

"엄마 보고 싶어?"
"울지 마!"하며 달래는 모습을 보았다.
"OO야 친구가 왜 울까?" 물어보니
"OO이가 엄마 보고 싶어서…" 하고 혀짧은 소리로 대답하며 나를 쳐다본다. 그 모습이 얼마나 귀엽고 사랑스러운지 웃기기도 하고 감탄도 했다.

그런 행동은 친구의 감정을 이해하고 친구의 마음을 달래주는 마음에서 나오는 행동과 말이다. 위로를 받은 아이는 슬픈 마음을 위로받고 울음을 멈추고 같이 놀 수 있었다. 이렇듯 영아도 타인의 감정을 읽고 공감하는 능력이 있다. 오직 사람만이 공감하는 능력이 있다. AI나 로봇은 우리 생활에 편리함을 주며 많은 비중을 차지하지만, AI나 로봇이 우리의 감정을 읽지는 못한다.

범박 아이들은 장애에 대한 편견이 없으며 서로 도와주고 도움을 받는다. 발달이 느리거나 장애 친구들은 또래 아이들의 행동을 모방함으로써 관찰 학습을 할 수 있고 이를 통해 발달을 촉진한다. 일반 아이들은 통합 아이를 도와주는 마음, 타인을 배려하는 마음을 통해 감정이입 등 사회적 행동이 다양하게 향상된다.

산책갈 때 통합 아이가 자리를 이탈하면
"이리 와! 여기에 서는 거야." 손을 잡아 주고
형님들은 동생이 신발을 신을 때 잘 못 신으면
"형이 도와줄게."
동생은 "형, 고마워!" 하며 서로에게 사랑이 싹튼다.

사람들은 주변 사람들과 소통하며 그 사람들로부터 상처를 받기도 기쁨을 주기도 한다. 우리는 공동생활을 떠나서는 살 수 없다. 공감은 타인의 말이나 행동에 나도 당신과 같은 생각이라는 뜻으로 고개를 끄덕이거나 손뼉을 치며 상대방을 향해 웃을 때 나오는 행동이다. 다른 사람이 나의 말에 수긍하고 같은 마음을 가질 때 나는 인정받았다는 느낌을 받으며 행복을 느낀다. 이것은 타인의 감정을 수용하고 이해하는 마음에서 나오는 것이다. 그러므로 모두가 공감하는 능력은 매우 중요하다. 우리 아이들도 공감하는 능력을 갖추고 행복하기를 바란다.

나는 부모다

자녀는 신께서 나에게 준 선물이다

선물은 사람들을 기쁘고 설레게 한다. 갑자기 받는 선물도 있고 때가 되면 받는 정해진 선물도 있다. 어느 것 하나 기쁘지 않은 것은 없다. 선물을 받을 때 기분과 선물을 뜯을 때 설레고 무엇이 들었을까 하는 기대감으로 선물을 뜯어 본다.

부모에게 자녀는 신께서 준 선물 중에도 가장 귀하고 보물 같은 선물이다. 엄마는 자녀를 잉태하고 10달을 좋은 생각하고 좋은 것 먹으며 소중하게 키운다. 아이가 세상에 태어나는 날을 기다리는 마음은 세상을 다 가진 것 같이 매일 매일 행복하다. 난 부모들이 이 기억을 잊지 않았으면 좋겠다. 그리고 아이가 힘들게 할 때마다 이 기억을 떠올리며 행복감을 찾기 바란다.

우리 부부에게도 오빠들과 나이 차이가 많은 늦둥이 딸이 있는데 하나님이 주신 귀한 선물이다. 이 늦둥이가 우리를 감동케 한 일이 최근에 있었다. 중2인 늦둥이 딸이 학교에서 시집을 만들어 아빠에게 주었다. 공부는 관심 없고 학교는 늘 가기 싫다고 한 딸이 자기가 좋아하는 나태주 시인의 글을 아빠에게 맞는 시를 골라 또박또박 눌러쓴 시집이다. 시집 첫장에

제목 '내가 좋아하는 사람'

김종연의 남편이자

정OO, 정OO, 정OO의 아버지인 정OO 님께 드립니다.

라는 글을 보는 순간 웃음이 났다. 우리 가족 모두의 이름을 썼다는 것은 누구 하나 소홀히 대함 없이 모두 소중하다는 본인의 배려인 것 같아서 한편으로는 감동도 했다. 자녀를 키우며 마음 아픈 일도 있었는데 큰아이가 수능을 보고 응시한 대학에 모두 떨어졌다. 실패를 경험하고 낙담하는 아이를 보는 엄마는 가슴을 오려 내는 것 같은 아픔도 있었다. 그럼에도 불구하고 아들은 다시 도전하여 본인이 원하는 대학에 들어갔다.

소중하고 귀한 선물 같은 아이들이 이렇게 아픔을 줄 때도 있고 기쁨을 줄 때도 있다. 그러나 우리가 아이를 키우면서 가장 어렵고 힘든 일이 기다림이 아닐까 생각한다. 내 아이의 일이라면 더 조급해지고 빨리 성과를 보고 싶어 한다. 그러나 우리가 조급하면 할수록 아이들은 우리의 기대치에 못 따라올 수도 있다. 아이들을 믿고 기다리면 자신의 미래를 설계하고

꿈을 가지고 이루어낸다고 믿는다.

  우리 아이들은 신께서 주신 귀하고 보배로운 선물이다. 아이를 자연 그
대로 인정하고 소중하게 생각하면 아이들은 부모의 기대에 보답할 것이다.

아이에게 반응하는 부모

RT 교수의 창시자인 마호니 교수는 말한다.
"부모는 가르치기 위해 먼저 흥미와 관심을 찾아라."

우리 아이들이 똑같이 발달이 이루어진다면 우리는 고민하지 않고 아이들을 키울 것이다. 어떤 아이는 3살이 지나면서 글을 읽을 줄 아는가 하면, 어떤 아이는 7살이 되어서 글을 읽을 줄 알게 된다. 만약 글을 늦게 알았다고 해서 지능이 낮다고 생각하면 잘못된 생각이다. 아이마다 발달하는 결정적 시가가 다르기 때문이다.

우리 아이들은 발달의 시기와 속도는 다르지만, 발달은 계속되고 있다. 눈으로 예측 가능한 발달도 있지만, 눈으로 예측하지 못하는 발달도 있다. 부모들이 너무 큰 기대로 아이들을 이것저것 많이 배우게 시킬 수 있다. 조기 교육이 중요하긴 하지만 아이들이 받아들일 준비가 되어야 가능한 효과를 보게 된다.

삐아제는 아이들의 능동적인 경험이 학습으로 이루어진다고 했다. 아이 스스로 관심과 즐거움이 있어서 능동적으로 시도해 볼 때 학습은 이루어진다. 본인이 관심이 없는 것을 부모의 강압으로 하게 될 때 아이들이 스트레스를 받아 효과가 나지 않는다.

그러면 부모들은 아이들의 관심과 흥미를 어떻게 알 수 있을까?

첫째, 평상시에 아이들의 눈과 표정을 집중해서 보아야 한다.
둘째, 아이들의 눈을 따라가면서 어디에 관심이 있는지 보아야 한다.
셋째, 아이들을 흥미와 욕구를 집중해서 관찰해야 한다.

특히 부모들이 아이들과 상호작용할 때, 아이가 말하기 전에 부모가 먼저 말을 하거나 질문하는 경우가 대부분이다. 부모들은 본인의 할 말만 전달하는 경우가 많다. 아이들의 호기심이 어디에 있는지 알려면 아이들에게 집중해야 한다.

범박어린이집은 RT 교육 기관이다. RT(Responsive Teaching)란 반응적 상호작용 교수법이다. 아이들이 먼저 말하기 전에 교사가 먼저 말하지 않고 기다리고 아이들 언어에 즉각 반응해주는 것이다. 그러려면 아이들의 행동에 관심을 가지고 집중해서 관찰해야 한다. 이렇게 아이들에게 민감하게 반응하고 아이의 속도에 맞춰 상호작용하면 아이들은 선생님이 '날 좋아하는구나!' 하는 신뢰가 생긴다. 그래서 교사와 함께하는 시간을 좋아하고 자발적 놀이가 많아지며 리더십과 자존감이 높아진다.

스스로 본인이 놀이를 선택하고 이끌 때 아이들의 발달은 더 촉진되고 정서적으로 안정적인 발달이 이루어진다. 아이들이 어렸을 때부터 신뢰와 자발적 동기가 형성되면 놀이가 즐거워지고 아이들과의 관계도 좋아진다.

아이들이 능동적으로 활동하게 하려면 부모는 어떻게 역할을 해주면 좋을까? 부모는 아이들의 발달을 인식하고 발달에 맞는 성취를 하도록 촉진하고 지지하는 양육 방식을 가져야 한다.

아이의 발달을 촉진시키기 위해 부모들은 아이에게 반응하는 방법을 배워야 한다.

첫째, 아동의 세계로 들어가기.
아동의 세계로 들어가려면 어른들은 아동의 세상을 똑같이 보아야 한다.

둘째, 아동의 주도에 따르기.
아동이 주도하는 대로 따라 주는 것은 아동의 관심에 반응하는 것이며
아동은 이러한 경험을 통해 통제감을 발달시킨다.

셋째, 재미있게 상호작용하기.
부모가 재미있는 장난감이 되어줄 때
아동은 타인과 상호작용하는 것을 좋아하게 되며 관계 맺는 것을
학습한다.

부모가 특정한 상황에서 어떻게 반응하는지를 봄으로써
아동은 정서적으로 반응하는 방법을 배운다.
〈출처 : 아이의 잠재력을 이끄는 반응육아법. 김정미, 2013〉

RT에 대해 구체적으로 아이에게 어떻게 반응하면 좋을지 방법을 알고 싶다면 범박어린이집 부모교육에 참여하면 된다. 부모는 항상 배워야 한다. 부모가 배움을 즐거워하고 참여하는 만큼 아이들에게 유익하다는 것을 부모님들이 알았으면 좋겠다.

나도 행복한 부모가 될 수 있다

행복한 부모가 아이를 행복하게 키웁니다.
반응적인 부모가 주도적인 아이로 키웁니다.

어린이집에서 부모들에게 양육 방법에 대해 부모교육을 한다. 범박어린이집은 RT 교육을 하는 기관이다. RT(Responsive Teaching)는 반응적 교수법이다. 우리 어린이집에서는 교사들을 RT 센터 컨설팅을 매년 받고 있으며, 자체 연수도 하여 아이들에게 적극적이고 민감하게 반응하는 상호작용을 적용하는 어린이집이다.

RT 교육이 아이들을 자존감 있고 리더쉽이 있는 아이로 키우는 좋은 교육 방법이라고 생각한다. 그래서 아이들 발달에 직접적인 영향력을 주는 부모를 대상으로 RT 교육을 하면 아이들의 발달에 도움이 될 것이라는 생각으로 RT 부모교육을 한다. 부모교육에 참석한 부모들이 아이들 양육에 도움이 되고 마음도 좀 느긋해진다고 좋아했다. 각자 집에서 실행한 상호작용을 동영상 촬영하여 오면 아이 양육 태도나 기술을 피드백해주니 양육에 도움이 되었다는 피드백을 받았다.

〈솔한빛반 김OO 어머님 RT 부모교육 참여 후 소감이다〉
안녕하세요, 범박어린이집에 둘째가 재원하고 있는 재원생 엄마입니다^^
몇 달 전까지만 해도 아이가 '그냥 느린거다' 라고 생각했는데 어느 날

치러진 원내 행사가 있었어요. 그 행사를 계기로 아이가 이대로 있다가는 점점 뒤처질 것 같다는 생각이 퍼뜩 들었어요. 그래서 언어치료도 시작하게 되었고 지푸라기라도 잡는 심정으로 RT 교육 참가 신청을 했답니다.

얼마 되지 않아 RT 교육 신청을 한 게 저한테 큰 행운이라는 걸 느끼게 되었어요. 아이가 세 돌이 이제 막 되어서 그런지, 언어치료를 시작해서 그런지, 아니면 RT 교육을 받고 제 마음가짐이 달라져서 그럴 건지 2회기에 걸쳐 교육이 진행되는 동안 제가 진짜 진짜 행복하더라고요. 아이에게 진심으로 사랑한다고 얘기한 게 처음이었던 것 같아요. 다른 요인들도 조금씩은 영향을 미쳤겠지만 정말 RT 교육을 통해 아이를 인정하는 마음으로 지내다 보니 아이가 정말 예뻐 보였답니다.

그리고 몇 달 후인 어제, 다시 RT 소모임을 갖게 되었는데 아이가 많이 자란 게 요즘 또 느껴지기도 해서 행복하다고 말씀드렸어요. 그동안 제가 아이에게 알려주지 않은 단어나 문장 같은 것도 아이가 원에서 배워와서 옹알옹알 먼저 말하는 때가 있고, 또 미안하다는 표현이라든가 순서 양보 같은 것들이 조금 늘은 것 같았거든요. 저뿐만 아니라 다른 어머님들의 "RT교육 후 이렇게 바뀌었다." 하는 소식들도 들을 수 있어서 '그사이에 아이들이 많이 좋은 방향으로 바뀌었구나.'라는 생각이 들었어요. 부모님들 모두 아이들을 위해 열심히 노력하셨겠구나 싶었답니다. 또 아직 문제라고 생각하는 행동에 대해서 말씀드리면 원장님께서 아이들이니까 그럴 수 있다며, 그렇게 행동하는 이유도 또다시 이야기해주시고

부모님은 이렇게 행동하는 게 좋다고 가이드해 주시는 게 정말 경험에

서 우러나오는 조언과 다양한 아이들을 이해하려는 마음을 가지신 분이 계시는 곳에 우리 아이를 맡길 수 있어서 다행이고 정말 천운이라는 생각을 했어요. 또 원장님의 마음처럼 같이 일해주시는 선생님들이 계신 곳에 제 아이가 들어가 있어서, 정말 조금이라도 이해받고 위로받을 수 있어서 참 감사한 마음이랍니다.

"내년에도 RT교육 참여할 수 있으면 또 신청해서, 그동안 또 무엇이 좋아졌는지, 아이와 제가 얼마나 행복한지 공유하는 시간이 또 왔으면 좋겠어요.

(남편 동행 교육으로 되면 둘이 손 붙잡고 가겠습니다. ㅎㅎ)

진심으로 이렇게 저를 포함한 부모님들이 아이와 함께 자라나도록 도와주신, 제일 큰 공을 세워주신!! 어린이집 원장님, 그리고 담임 선생님들께 큰 감사를 드립니다!!!♡♡♡"

부모교육 후기를 보면서 부모교육이 조금이나마 부모들에게 힘이 된다고 생각하니 감사한 마음이 든다.

돌아가신 친정엄마가 *"자녀를 위한 부모의 기도는 하늘에 올라가기 전 땅에 떨어지는 법이 없다. 너도 자녀를 위해 늘 기도하는 엄마가 되라 엄마도 널 위해 늘 기도한다."* 고 하신 말씀이 생각난다. 자녀가 올바르게 성장하고 행복하기를 간절히 바라는 부모 마음을 하늘도 알아준다는 뜻인 거 같다.

부모는 세상에서 가장 위대하고 훌륭하다.

아이들의 세계로 들어가서 반응하는 부모가 되어 아이들을 행복하고 자존감 있는 리더로 키우길 바라며, 부모가 행복하고 아이가 행복한 세상이 되기를 소망한다.

김 지 상
jisangt@hanmail.net

국공립상동어린이집 원장
가톨릭대학교교육대학원 유아교육학 석사
성산효대학원대학교 효학박사 Ph. D.
유아교육 경력 39년
한국효인성교육협회 회장
한국효단체총연합회 공동회장
인천시효행장려지원센터 효인성 전문강사
전국영유아교육기관 원장 · 교사 연수 다수

"자녀에게 가르침을 주는 것은
머리로 하는 것이 아니라
마음으로 하는 것입니다."

-Frederick Douglass

아이 마음을 여는
마법의 말

부모의 역할이 얼마나 중요한지를 아는 건 가슴 벅찬 일이다.
부모의 존재는 자녀에게 가장 귀한 선물이다.

자녀에게 행복을 주는
마법의 말

사랑의 인사말

"어린이에게 사랑은 마음의 문을 열고 미소로 나누는 것이다."

우리 어린이집의 인사는 '사랑합니다. 효도하겠습니다'이다. 이 인사말은 상대방에 대한 존중과 감사의 마음을 전하는 진실하고 따뜻한 감정을 표현하는 말이다.

아침마다 현관에서 사랑스러운 아이들과 선생님은 웃으며 반갑게 인사를 한다. 바른 자세로 공수하고 인사한 후 손가락 하트 하는 친구도 있다. 어떤 친구는 머리 위로 두 손을 올려 하트 모양을 한다. 4살 영아는 허리

굽혀 인사하는 모습이 너무 귀엽고 사랑스럽다. 사랑과 감사의 인사말로 하루를 시작하는 어린이집의 생활이 즐겁고 행복하다.

"사랑합니다. 효도하겠습니다."라고 인사를 하면 학부모님들은 어색해하며 쑥스러워한다. 하지만 금방 얼굴 표정이 밝아지며 환하게 웃으신다. 다른 기관과 달리 '사랑합니다. 효도하겠습니다' 인사로 아이들을 맞이해주니 기분이 좋다고 말씀하셨다.

손주와 등원하시는 할머니께서 5살이 효도하겠다는 인사를 얼마나 잘하는지, 아는 분을 만나도 '사랑합니다. 효도하겠습니다'라고 인사를 한다고 하셨다. 아이들이 효도의 뜻을 알고 인사를 하는지 궁금하다고 하셨다.

우리 아이들의 효도는 어른들이 생각하는 봉양의 효도가 아니다. 우리 아이들의 가장 큰 효도는 아프지 않고, 다치지 않고 건강하고 씩씩하게 자라는 것이다. 친구와 사이좋게 지내고 배려하고 양보하는 긍정적인 마음을 갖는 것이 가장 큰 효도이다.

상동의 아이들은 친구를 사랑하는 '효' 하는 어린이이다. '효'는 부모뿐 아니라 친구에게 대하는 사랑의 방법이며 긍정의 언어이다. 친구와의 손짓, 눈짓, 몸짓의 비언어적 소통과 서로 대화하면서 즐거운 놀이를 한다. 의견이 서로 다를 때는 서로 이야기를 하면서 해결점을 찾는 모습이 너무 대견하다.

영유아기의 결정적 시기의 우리 아이들에게 첫 번째로 해주어야 하는 미래 교육은 효의 씨앗을 심어주는 효 인성교육이라고 나는 생각 한다.

특히 인성교육이나 기본생활습관은 아주 어린 시기부터 형성되기 시작하여 유아기에 기초를 이루고 이것이 의식구조로 전환되어 한 인간의 인격 형성에 바탕이 되기 때문이다.

「논어」에서도 인성교육을 얘기하기 전에 먼저 '효와 우애'부터 가르치고 실천하게 해야 한다고 하였다. 부모님 말씀을 잘 듣고 부름에 대답하며 부모님을 사랑하고 형제간의 사랑도 돈독해야 한다. 그러면 친구와도, 이웃 어른도, 자연도 사랑하고 잘 어울려서 지내게 된다는 뜻이다.

"미국의 교육학자 존 듀이는 유아기의 특성으로 '가소성'을 역설했다. 그는 가소성은 유아기에만 형성되었다가 성장하면서 조금씩 약화되는 성질로, 유아기의 습관 교육에 매우 중요한 역할을 하므로 어린 시기 교육의 여부는 기본적인 생활습관 형성에 지대한 영향을 줄 수 있다고 주장 했다. 공자가 중시했던 교육 방법은 인성을 기반에 두고 지식 교육을 더해가는 '선인성 후지식' 교육과도 같다."

- 도서 「조선의 밥상머리 교육」 중 -

'사랑합니다. 효도하겠습니다.'의 인사를 통해서 우리 상동의 아이들은, 부모님과 선생님을 존경하고 친구를 존중하는 행복한 어린이집 생활을 하고 있다.

언어로 인사를 하면 아이의 내면에 각인이 되어, 행동으로 실천하는 '효' 하는 멋진 어린이가 되리라 본다. 예절의 옷을 입고 하루를 시작하는 바른 몸가짐과 마음가짐을 가진 우리 상동 친구들은 21세기의 글로벌 시대에 효 리더로 성장할 것이라고 확신한다.

칭찬은 아이를 춤추게 한다

즐거움이 넘치는 창의반 교실에 들어가니 성현이가 "원장님! 예뻐."라고 하였다. 그 소리를 듣던 하준이가 "창의반 선생님은 더 예뻐."라고 웃으면서 말하였다. 그러자 성현이가 "아니야. 우리 어린이집에서 제일 예쁜 선생님은 바로 원장선생님이야."라고 말하며 나에게 안겼다.

모 방송 개그 코너에 나오는 개그를 인용해 아이들이 하는 말이다. 아무튼 젊고 예쁜 선생님보다 원장선생님이 제일 예쁘다고 하니 기분은 좋다. 여섯 살 친구의 꾸밈없이 순수한 마음이 아주 귀엽다. 이렇듯 누군가에게 칭찬을 받으면 누구나 기분이 좋고 행복하다. 나의 정서적인 느낌이 늘 긍정적인 마음이라면 상대방을 대할 때 늘 긍정적으로 바라보고 대하게 되고 칭찬도 하게 된다. 상대방은 칭찬을 받아서 기분이 좋아지고 마음도 편안해지니 언제나 밝고 즐겁게 생활하게 된다.

자녀를 키우는 가정에서도 마찬가지이다. 막내딸 현정이가 유치원 다닐 때 집에서 한글과 수를 전혀 가르치지 않았다. 현정이는 한글, 수 공부보다는 자전거를 타고 아파트 동네를 돌아다니는 걸 더 좋아했다. 롤러블레이드를 사달라고 해서 아빠에게 배우고 신나게 타고 다니며 하루 종일 밖에서 노는 시간이 많았다.

초등학교 가기 전 일곱 살의 부모는 대부분 자녀가 학교에 가서 뒤처지지나 않을까? 라는 엄마 마음의 불안감으로 억지로 자녀에게 한글을 가르치고 수를 가르친다. 그래서 대부분 아이는 한글을 기본적으로 알고 초등학교에 간다. 공부보다 놀이가 더 좋았던 현정이는 받침 없는 기본적인 단어 몇 개만 알고 입학하였다. 받아쓰기 시험 보는 날은 언제나 10점에서 50점의 점수가 오르락내리락하였다.

"엄마 오늘 받아쓰기 시험 20점이야."
"그래? 10점도 있는데 2개나 맞았으니 잘했어."

다음날은 5개 맞은 받아쓰기 시험지를 내밀었다.

며칠이 지난 뒤, 아이는 100점을 받고 싶다고 받아쓰기 공부를 가르쳐 달라고 하였다.

받아쓰기 공부를 스스로 하더니 90점에서 100점을 쭉 받아왔다. 그날 이후 자신감이 생기자, 하루 일과표를 만들어 계획을 세워 공부하고, 자기 할 일은 스스로 알아서 하니 너무 기특하고 대견할 뿐이다.

이렇듯 부모의 진정한 역할은 자녀가 스스로 무엇이든지 잘할 수 있다는 것을 믿고 기다려주고, 스스로 할 수 있도록 격려와 칭찬으로 보듬어주는 것이라고 생각한다

부모가 자녀에게 해줄 수 있는 것 중에 가장 가치 있는 것은 아낌없는 칭찬과 진심에서 우러나오는 격려이다. 부모의 진정한 역할은 자녀가 스스로 무엇이든지 잘할 수 있다는 것을 온전히 믿고 진정으로 칭찬과 격려를 하는 것이다. 그러면 부모의 마음이 파동으로 아이에게 전해져 점점 스스로 잘하는 멋진 자녀로 성장한다.

부모가 진정으로 자녀를 잘 자라게 하고 싶다면 아이가 하는 모든 것을 인정해주고, 무조건 믿어준다. 그리고 기다려주며 격려와 칭찬을 아끼지 않는 것이다. 아이들이 자기 자신을 좋아하고 믿는 마음의 크기에 가장 큰 영향을 주는 사람은 누굴까? 늘 가까이에서 아이들의 생각과 태도를 바라봐 주는 부모이다.

부모는 '네가 이런 마음을 갖고 있다는 게 자랑스럽다. 네가 하는 모습이 나에게 믿음을 주는구나.'와 같은 격려를 해줄 수 있는 사람이다.

늘 곁에서 아이를 지켜보지 못하는 부모는 아이가 한 일의 결과만을 보기 쉽다. 하지만 부모는 아이가 해내는 과정과 아이가 지닌 태도도 볼 수 있다. 우리 아이가 무엇을 잘해서, 또는 바라고 기대한 것을 해냈을 때 그 결과에 대한 칭찬보다 더 힘이 되는 것은, 힘들어도 참아냈던 과정과 태도를 부모가 알아주는 것이다.

아이의 긍정적인 동기와 노력과 정성에 아낌없이 칭찬해주자. 아이들이 긍정적인 자아상을 갖는데 부모의 칭찬이 최고이다. 콩나물시루에 물을 주면 물은 그냥 모두 흘러내린다. 그런데도 콩나물은 보이지 않는 사이에 무성하게 잘 자란다.

이렇듯이 우리 자녀에게도 매일 콩나물에 물을 주는 것 같아야 한다. 부모가 아낌없는 사랑과 믿음으로 격려한다면 보이지 않는 사이에 자녀는 올바르게 자라며, 언제나 행복한 삶을 누리게 될 것이다.

사랑으로 주파수 맞추기

"가장 좋은 육아는 사랑과 이해에서 비롯됩니다"

⟨Janusz Korczak⟩

"미운 놈 떡 하나 더 주고, 귀한 자식 매 한 대 더 때린다."라는 우리나라 속담이 있다.

자녀가 사랑스러울수록 더 잘되기를 바라는 마음에서 칭찬보다는 엄한 훈육이 필요하다는 뜻이다. 하지만 오늘날 그렇게 해서 자녀를 바르게 키울 수 있을까? 라는 생각이다.

창의적이고 감성지수가 높은 리더십이 있는 아이가 요구되는 현실에서 어떻게 하면 우리 자녀를 행복하게 키울까?

부모가 일상생활에서 부정적인 말을 자녀에게 한다면 자녀는 부정적인 정서를 갖게 하고 부정적인 행동을 더 강화하게 한다. 부모의 의도는 문제 행동을 바르게 고치려고 하려는 것이지만, 오히려 부모와 자녀 간에 감정적 대립만 생길 수 있다.

일상적이고 습관적으로 주고받는 대화를 통한 자녀와의 의사소통 방식이 내 자녀의 양육방식의 결정적 요소가 된다. 부모는 자녀를 눈에 넣어도 아프지 않을 만큼 사랑한다고 말은 하지만, 진정으로 자녀를 사랑한다면 온 마음과 행동으로 자녀를 대하여야 한다. 자녀가 자율성을 가지고 스스로 하는 생활의 즐거움을 느낄 수 있도록 사랑하는 마음으로 격려하고 칭찬을 해주어야 한다.

우리 어린이집에 다녔던 영아는, 엄마에게 야단맞거나, 자기의 욕구가 충족되지 않는 날은 교실에서 부정적인 방법으로 또래 친구들과 선생님의 관심을 끌려고 하였다.

영아 어머니는 '나는 이다음에 부모가 되면 사랑을 듬뿍 주며 잘 키울 거야.'라는 생각을 했는데, 지금은 그때 생각과 달리 자녀를 키우기가 너무 어렵다고 하였다. 영아가 떼를 쓸 때면 영아의 감정을 수용하기보다는 속상한 마음으로 영아에게 야단을 치고 벌을 주었다고 하였다. 야단맞고 잠든 영아의 모습을 보면서 속상한 마음에 울기도 하고, 엄마 노릇을 제대로 못 한 것 같은 미안한 마음에 죄책감도 든다고 하였다.

영아 어머니와 상담하고 며칠이 지나면서 영아가 조금씩 변화된 모습이 눈에 들어왔다. 집에서 영아를 한 번 더 안아주고, 눈을 마주치며 말을 들어주고, 10분이라도 더 함께 놀아준다고 하였다. 엄마의 사랑을 받은 영아가 조금씩 친구들에게 양보도 하고, 떼쓰는 것도 줄었으며, 방긋방긋 즐겁게 자주 웃으며 교실에서 생활하였다.

어떤 부모라도 자녀를 사랑한다고 하지만 부모가 집안일로, 직장 일로 힘들다고 생각할 때는 자녀의 요구를 들어주기보다는 먼저 짜증을 내며 자녀를 대하게 된다. 엄마의 부정적인 정서의 파동을 자녀가 그대로 느끼게 되니, 자녀도 엄마에게 짜증을 내는 것이다. 부모와 자녀는 보이지 않는 끈으로 연결되어 있다. 부모가 자녀를 생각할 때 불안하고 걱정스러워하며 직장 생활을 하면, 자녀 또한 불안해서 자주 엄마를 찾거나 짜증을 낸다. 자녀가 즐거운 마음을 갖게 하는 원천은 부모의 사랑 표현이다.

나는 첫째 딸을 출산하고 2개월부터 가정에서 영아를 돌봐주시는 분에게 딸을 맡겼다. 아침에 출근할 때 딸과 헤어지는 게 아쉽고 걱정이 되어 울면서 딸을 맡겼다. 근무하면서도 계속 신경이 쓰였다. 우리 아이를 잘 봐주는지 울어도 안아주지 않고 자기 할 일은 하는 것이 아닌지? 생각이 꼬리를 물면 오만가지 불안한 생각이 들어서 전화하였다.

그러면 아주머니는 "현영 엄마. 걱정하지 마세요. 내 아이처럼 잘 보살피고 있어요."라고 말하였다. 이 한마디에 나는 아주머니에 대한 믿음과 신뢰 그리고 위로와 안심이 되었다.

내가 키울 수 없다면 온전히 아주머니를 믿고 맡기자는 생각을 하였다. 대신 우리 아이가 울지 않고 잘 노는 모습을 상상하면서 감사한 마음을 가졌다. 그런 생각으로 근무하니 마음이 편안해지고 직장에서도 집중해서 근무하게 되었다. 내가 마음이 편안해지고 감사함을 일으키니, 딸도 아프지 않고 건강하게 잘 지내게 되었다. 부모와 자녀는 정말 보이지 않는 끈으로 연결되어 있다는 걸 새삼 느끼게 되었다.

퇴근 후에는 아이에게 사랑한다고 표현하고, 뽀뽀하며 안아주고 쓰다듬어 주며, 토닥여 주면 아이는 스스로 사랑받는 귀한 존재임을 알게 된다.

일상생활에서 부모는 감정의 흐름을 항상 긍정적이고 평안함을 유지하면서 자녀를 대해야 한다. 부모의 사랑은 무조건적인 수용이나 베풂만이 아니다. 기쁜 마음으로 자녀를 존중하고 즐거움으로 자녀를 대하면, 엄마의 따뜻한 마음이 그대로 자녀에게 전달되어 자녀도 밝고 명랑한 아이로 자라게 된다.

사랑의 주파수는 바로 자녀의 마음을 알고 기쁨으로 함께하는 부모 사랑이다.

사랑으로 하이터치하는
부모가 되자

사랑으로 하이터치하는 부모가 되자

〈High touch〉

바닷가 모래밭에 엄마 게와 아기 게가 산책을 나왔어요. "야! 신난다." 아기 게는 빠른 걸음으로 옆으로 걸어갔어요. "아가야, 옆으로 걷지 말고 엄마처럼 걸어봐. 하나, 둘, 셋, 넷." 엄마 게는 씩씩하게 걸어보았어요. "헤헤헤 엄마도 저와 똑같이 걷는걸요." "아니? 똑같이 걷다니." "모래에 찍힌 발자국을 보세요. 엄마 발자국, 내 발자국 똑같잖아요." 엄마 게와 아기 게는 서로 쳐다보며 웃었답니다.

이솝우화에 나오는 '엄마 게와 아기 게'의 동화 내용이다.
부모들은 엄마 게와 같이 나는 옆으로 걸어도 내 아이는 똑바로 걷기를 원한다. 엄마는 아무렇게나 행동하면서 내 자녀가 엄마와 같은 행동을 하면 용납하지 않는다. 내 자녀를 올바르게 키우려면 우선 부모가 올바른 모델이 되어야 한다.

부모의 역할은 가르치는 것이 아니라, 보여주는 것이다. 부모는 아이의 모델이 되어야 한다. 아이는 바로 부모의 거울이다.

예전에 우리 어린이집에 다녔던 아이가 있었다. 주말을 보내고 오면 아이는 친구들을 모아놓고 하는 놀이가 있다. 매트 위에 그림단어 카드를 쫙 깔고 친구들에게 하나씩 나눠 주었다. 그리고는 한 장씩 내서 그림카드를 가져가는 놀이를 하였다. 어른들이 하는 화투놀이를 그대로 흉내를 내는 것이다. 아이는 엄마가 친구분들하고 하는 화투놀이를 주말이면 배웠던 것이다. 또, 어느 날은 역할영역에 있는 마이크를 가지고 와서 친구들에게 주고 순서대로 노래 부르는 흉내를 내라고 하였다.

이 이야기를 들려주자, 아이 어머니는 깜짝 놀라며 걱정하였다.

상담한 후, 어머님은 아이가 보는 앞에서 화투를 하지 않았다고 했다. 그 대신 주말이면 가까운 공원에 자주 다닌다고 하였다. 공원에 가서 꽃과 나무도 보고, 새소리도 듣고, 자전거도 타면서 자연과 어울려 즐겁게 지낸다고 하였다. 그러다 보니 아이도 더 밝아지고, 어휘력이 좋아져서 표현하는 말도 많아졌다고 했다. 야외놀이를 자주 하다 보니 아이에게 부정적인 말보다는 아이의 말을 잘 들어주고, 칭찬도 하게 되고 즐겁게 지내는 시간이 더 많아졌다고 하였다.

대부분 부모들은 자녀를 눈에 넣어도 아프지 않을 만큼 사랑한다고 하지만, 진정으로 자녀를 사랑한다면 온 마음과 행동으로 자녀가 행복을 느낄 수 있도록 해야 한다.

부모는 항상 긍정적이고 평안함으로 유지하면서 자녀를 대해야 한다. 엄마의 마음이 늘 포근한 사랑으로 자녀를 대하면, 엄마의 따뜻함이 그대로 자녀에게 전달되어 자녀도 밝고 명랑한 아이로 자라게 마련이다. 또래 친구들과의 관계도 좋아지고 공부도 저절로 잘하게 되어 진정으로 행복한 아이로 성장하게 될 것이다.

엄마의 요구사항을 자녀에게 전달하지 말고, 자녀의 마음을 읽어주고, 가려운 곳을 긁어주며 매일매일 아이의 좋은 점을 구체적으로 칭찬해 주자.

칭찬은 우리가 매일 섭취하는 단백질, 쌀, 물처럼 자녀에게 필수적인 요소이다.

칭찬을 먹고 자란 자녀는 반드시 올바르게 자라며 언제나 행복한 사람이 될 것이다.

사랑의 골든타임

"원장님, 사랑합니다."

"얘들아, 사랑해. 오늘도 신나게 재미있게 지내자."

아침마다 아이들을 반갑게 맞이하며 즐겁게 인사를 한다.

할머니와 등원하는 종윤이는 인사하기를 쑥스러워하며 교실에 들어오기를 힘들어하였다.

교실에 들어오면 친구들과 잘 어울려 지내는데 아침 인사 하는 것을 어려워하는 것이다.

아침마다 할머니께서는,

"원장님. 우리 종윤이는 수줍음이 많고 쑥스러움이 많아서 인사를 못해요. 얼른 원장님께 인사해 봐!"

라고 종윤이의 등을 쿡 찌르며 종용(慫慂)하였다.

그러면 종윤이는 멋쩍어서 인사도 못 하고 할머니 눈치만 봤다.

나도 어릴 적에는 수줍음이 많아서 인사를 잘 못했다.

어머니께서는 지인 앞에서 우리 아이는 수줍음이 많아 인사를 잘 못해서 걱정이라고 늘 말씀 하셨다. 그러다 보니 엄마와 같이 있을 때는 정말 쑥스러워서 인사를 못 하게 되었다.

어떤 때는 '나도 인사를 할 줄 아는데…'라는 생각도 들었다. 설날에도 언니와 동생들은 부모님께 세배하고 용돈을 받는데, 나는 부끄러워서 세배를 하지 못해 용돈을 못 받고 운 적도 있다. 나중에 어머니께서 용돈을 주시긴 하셨지만, 세배도 못 하는 아이였다.

그런데, 학교에 가니 선생님께서 글씨를 바르게 예쁘게 쓴다고 내 공책을 친구들 앞에서 칭찬을 해주셔서 그때부터 자신감이 생겼다. 학교에서는 인사도 잘하고 친구와도 사이좋게 지내고 활발한 성격이 되어서 학급 반장도 하였다.

종윤이 할머니를 보면 마치 내가 어릴 적 엄마와 나의 모습이 보이는 것 같았다.

할머니께서 "우리 손자는 인사를 못 해."라고 말씀을 하시니 당연히 종윤이는 인사를 못 할 수밖에 없다. "우리 종윤이는 인사도 잘해."라고 긍정적으로 말씀하시면 인사 잘하는 종윤이가 될 거라고 말씀드렸다.

말씀드린 이후, 아침마다 할머니께서 "종윤아! 할머니와 같이 인사하자. 우리 종윤이는 인사도 잘해요."라고 하시며 아침 인사를 하셨다. 수줍어하던 종윤이도 이제는 인사에 자신감이 생겨 밝게 웃으며 인사를 하였다. 어린이집 생활도 즐겁고 활기차게 친구들과 재미있게 지냈다.

부모가 자녀에게 무심코 던지는 말은 매우 중요한 의미를 지닌다. 긍정적이든 부정적이든 '말' 속에는 자녀의 몸과 마음을 움직이는 강력한 힘이 있다. 그러므로 어떤 말이 자녀에게 사랑과 격려의 말로 받아들여지는지, 또 어떤 말이 자녀에게 엄청난 상처와 스트레스로 남는지를 생각하며 말해야 한다. 부모의 긍정적인 말이 자녀의 마음에 행복의 씨앗을 심기 때문이다. 그래서 아이들은 부모의 말대로 자란다.

부모가 아이에게 하는 말은 부모가 생각하는 자녀의 모습을 그대로 나타내는 것이다.

자녀들은 부모의 말을 들으며 자신이 어떤 사람인지 어떤 능력을 갖춘 사람인지 알게 된다.

어느 신문 기사에서 본 내용이다.

신이 내린 목소리 프리마돈나 조수미의 어머니는 딸에게 언제나 "잘하라."라는 말 대신 "걱정마, 잘될 거야."라는 말을 하였다고 한다. 딸이 크고 작은 대회에 나가기 전날이면 어머니는 "엄마가 무지무지 좋은 꿈을 꾸었다."며 긴장한 딸에게 힘을 북돋아주었다. 단 한 번도 '1등을 해라'라고 말하지 않았으며, 1등을 강요하는 잔소리를 하거나 다른 아이들과 비교한 적도 없었다고 한다. 조수미의 어머니는 아이가 하는 모든 일에 대해 칭찬을 해주었다고 한다.

장난감을 잘 치워도, 씩씩하게 뛰어놀아도, 밥을 잘 먹어도 언제나 칭찬했다고 한다. 이렇듯 부모는 남과 비교하지 않고 자녀의 입장에서 최선을 다하는 것에 늘 칭찬과 격려를 해야 한다. 그래야 자녀는 자신감을 느끼고 자신을 사랑하는 법을 알게 되어 모든 일에 최선을 다하는 사람이 된다.

피겨스케이트 김연아의 어머니는 딸이 스케이트에 집중할 수 있도록 똑같은 의미의 말이라도 표현을 다르게 했다고 한다. "발 모아."라고 말하는

데도 계속 잊어버리면 "발이 떨어지지 않게."라고 하여 발 모으는 데 집중할 수 있게 말하였다고 한다. 어머니가 계속 발을 모으라고 하는 잔소리로 들릴 수도 있었던 말을 다르게 표현한 것이다. 또한, 같은 표현의 말이라도 긍정적인 표현으로 말을 하면 자녀는 기분 좋게 수용할 수 있다.

'콩 심은 데 콩 나고 팥 심은 데 팥 난다.'라는 속담이 있다. 밭에 다 콩을 심어 놓고 팥을 기대하면 안 되는 것처럼 내 아이에게 부정적인 잔소리를 하면서 바르게 잘 자라길 바란다면 안 될 것이다. 부모는 언제나 긍정적인 말로 부모의 좋은 파동을 자녀에게 주어야 한다.

자녀를 바라볼 때 행복한 마음의 파동을 보낸다면 자녀는 행복하게 잘 자랄 것이다.

부모의 행복을 전하는 말이 자녀를 행복하게 자라게 한다. 지금부터 멋진 자녀에게 사랑의 말을 전해보면 어떨까요?

부모는 사랑 종합선물세트이다

행복한 아이의 비밀은 바로 부모의 사랑이다. 부모의 사랑을 충분히 받는 아이는 언제나 생글생글 웃으며, 표정도 밝고 매사에 자신감이 넘친다. 친구를 잘 도와주고 양보도 잘하고, 배려심도 많다. 웃는 얼굴은 마치 '저는요. 엄마 아빠의 사랑을 흠뻑 받고 있어요.'라고 말하는 것 같은 사랑스러운 모습이다. 속상한 일이 있어도 화를 내거나 짜증을 내거나 울기보다는 속상한 마음을 먼저 이야기한다. 부모는 아이의 모델이며, 거울과 같은 역할을 하기에 행복한 부모 아래 행복한 자녀가 있고, 부모의 의식 수준대로 자녀를 양육한다. 부모의 마음이 곧 자녀의 마음 상태이므로 부모의 사랑을 받는 아이가 사랑도 베풀 줄 알게 된다.

어린이집에 다녔던 5살 영아는 아침마다 울면서 등원하였다. 그럴 때마다 영아 엄마는 금방 온다고 말하고 안 울고 있으면 저녁에 인형 사준다고 말하였다. 그리고 떨어지지 않으려는 영아를 두고 가버린다. 그러면 영아는 울면서 교실에 들어와, 자신의 요구만 들어달라고 선생님에게 떼를 썼다.

아직 부모와의 안정된 애착 형성이 되지 않아서 부모의 사랑을 끊임없이 요구하고 확인하려고 하는 것이다. 영·유아기에 부모의 사랑이 채워지지 않으면 배고파서 우는 것만큼의 스트레스를 받아 정서적으로도 안정되지 못하게 된다.

영아 부모도 영아에게 잘해준다고 생각하는데 막무가내로 떼를 쓰는지 알 수가 없다고 답답해하며 해결 방법을 알려 달라고 말하였다.

부모로서 영아에게 어떻게 해야 하는 방법을 몰라서 그런 것은 아닐까?

영아기에 가장 중요한 욕구는 부모의 따뜻하고 포근한 사랑이다. 영아는 엄마 아빠의 사랑을 충분히 받지 못한다고 느낄 수 있다. 진정한 부모의 사랑은 먼저 부모 자신의 존재감을 아는 것이 중요하다. 엄마의 이름으로 살아가는 나 자신을 사랑하는 마음으로 온전하게 자녀를 대해보자.

영아 부모님은 상담한 이후, 언어적으로도 영아를 사랑한다고 자주 표현하고, 때로는 무언으로 꼭 껴안아 주고 쓰다듬어 주며 엄마 아빠의 사랑을 확인시켜 주었다.

부모와 자녀는 사랑을 기초로 한다.

사랑의 관계에서 자녀들은 안정감을 느끼게 되며 '나는 사랑 받는 사람이다.'라고 확신하면 모든 일에서 스스로 잘하게 된다. 따라서 "엄마는 너를 사랑해!"라고 자녀에게 말로 표현하는 것은 무척 중요하다. 특히 자녀들이 그러한 반응을 기대하고 있지 않을 때 토닥거려 주고, 껴안아주고, 뽀뽀하며, 머리를 쓰다듬어 주고 사랑한다는 것을 들려주는 것은 자녀를 행복하게 한다. 행복한 부모의 사랑이 행복한 아이를 만든다.

부모는 자녀의 '사랑 종합선물세트'이다. 충만한 사랑으로 존재하고 사랑으로 반응하는 부모표 '사랑 종합선물세트' 말이다.

행복 배달원

하하호호 웃음이 넘쳐나는 교실에 들어가 인사를 하였다.

원장님이 교실에 들어오자, 아이들은 서로 달려와서 안긴다.

아이들이 즐겁고 행복하게 잘 성장할 수 있도록 한 사람 한 사람에게 행복의 씨앗을 심어주는 「행복 나누기」 시간이다.

"얘들아, 행복 나누기 주제는 우리 친구들이 모두 '행복 배달원 되기'예요. 행복 배달원이 뭘까?"

"친구에게 행복을 배달해 주는 사람이에요."

"친구에게 어떻게 행복을 배달해줄까?"

"나쁜 말을 하지 않고, 잘못해도 잘하라고 말하며 칭찬하는 거예요."

"우리는 친구들에게 어떤 행복을 배달해주면 좋을까?"

"친구에게 사랑한다고 말해주고, 좋은 말을 해요."

"친구가 기뻐하고 웃을 수 있는 말을 해요."

"친구가 실수로 틀리면 잘하라고 좋은 말을 해요."

친구에게 사탕을 받아서, 선물을 받아서 행복한 것이 아니라, 친구에게 따뜻한 사랑과 관심 가지기, 서로 칭찬하고 격려하기가 행복한 마음을 갖게 한다는 것을 깨닫는다는 것이 너무 기특하고 대견하였다.

가정에서 부모도 자녀의 행복 배달원이 되는 것은 어떨까?

부모가 자녀에게 베푸는 사랑은 유아기에 형성되는 정서에 큰 영향을 미친다. 가정이 화목하고 평온하며 부모의 사랑을 듬뿍 받고 자란 자녀는, 친구를 사랑하고 배려할 줄 알며 책임감 강하다. 또한 독립적이어서 언제나 긍정적이고 행복한 아이로 자란다.

5세반에 다녔던 유아는 블록놀이를 하다가 생각대로 만들어지지 않으면 짜증을 내거나 소리를 지르며 화를 낸다. 선생님이 달래도 울음을 그치지 않고 스스로 기분이 풀어져야 울음을 그친다.

이런 유아에게는 두 살배기 동생이 있다. 엄마는 동생이 태어난 후부터 유아를 다 큰 아이로 생각하고, 엄마와 같이 놀이하는 시간보다 유아 혼자서 장난감을 가지고 놀게 한 시간이 더 많았다고 하였다. 그러다 보니 유아는 동생을 때리기도 하고, 사소한 일에도 화를 내기도 하였다. 유아 어머니는 유아가 사소한 일에도 짜증을 내고, 울음을 보이면 오히려 야단을 쳤다.

유아 어머니가 유아와 같이 놀아주고, 마음을 충분히 공감해주고, 블록놀이가 생각대로 안 되어 속상해하는 마음을 읽어주었다면 어땠을까?

아이들은 엄마의 사랑이 부족하다고 느끼면 자신감도 없어지고 친구들과 잘 어울리지 못하는 경우가 있다.

상담한 이후 어머니는 매일 유아를 꼭 안아주고, 집안일이 많아도 30분 동안 실컷 놀아주었더니, 동생도 잘 돌보고, 심부름도 잘하는 귀염둥이 유아가 되었다고 하였다.

엄마의 사랑의 마음을 유아도 느끼게 되어 사랑스러운 아이로 변화된 것이다.

어린이집에서도 밝은 표정으로 친구들과 즐겁게 재밌게 놀이하는 멋진 유아가 되었다.

부모가 자녀에 대한 무한 신뢰로 사랑의 힘을 아이에게 전할 때 아이는 축복 속에 행복한 자녀로 성장할 것이다.

행복한 아이의 비밀은
부모의 사랑이다

아이의 독립심은 부모의 사랑이다

세상을 가장 행복하게 하는 것은 아마도 '사랑' 그 자체일 것이다.

'사랑한다, 사랑받는다.'는 느낌은 마음을 기쁘게 해주어 삶을 행복하게 한다.

특히 부모의 사랑은 보이지 않는 위대한 힘을 가지고 있다.

부모와 자녀의 관계에서 모든 문제를 해결할 수 있는 묘약은 바로 '사랑'이다.

부모가 포근한 사랑으로 자녀를 대하면 부모의 따뜻함이 그대로 자녀에게 전달되어 자녀도 밝고 명랑하고 자신감 넘치는 아이로 자라게 된다.

나는 사랑스럽고 무엇이든지 할 수 있다 고 자녀가 자신감을 갖도록 부모는 마음으로, 말과 행동으로, 자녀가 사랑받고 있다고 느끼게 해주어야 한다.

그런데, '내 아이는 독립적이어야 해'라는 생각으로 자녀에게 강요하지는 않을까?

혹시라도 아이에게 무의식적으로 내뱉는 부정적인 말로 아이의 긍정적인 자아를 해치지는 않았는지 생각해보자. 무엇이든 잘하는 듯 보이는 친구 자녀나 다른 형제와 비교하지는 않았는지 한번 생각해보자.

사랑이란 일으켜 세워주고 붙잡고 있는 것이 아니라, 스스로 일어나 자발적으로 헤쳐 나갈 수 있도록 믿어주는 것이다. 부모의 진정한 사랑은 자녀에게 자신감과 가치감을 길러주어 행복으로 이끄는 것이다.

아이의 자신감의 또 다른 측면인 독립심은 어떻게 생길까?

아이의 이야기를 충분히 들어주는 것에서 시작한다. '관심'이라는 이유로 오히려 '간섭'을 해서는 안 된다. 아이를 가르치려는 마음이 앞서서 미리 답을 가르쳐주기보다는, 아이 스스로 답을 찾을 수 있게 기다려 준다.

그러면, 아이가 맘껏 생각할 수 있고, 그것에 대해 자신감을 가질 수 있게 된다. 충분히 들어주는 것은 이해의 바탕이 되고, 그 바탕에서 분별력은 시작되고 판단의 기준이 생기기 시작한다. 어떤 결과가 좋지 않더라도 아이를 야단하기보다는 다음에 잘하면 된다는 느긋한 마음을 부모는 가져야 한다.

아이들은 자라면서 하나씩 배우고 터득하므로, 결과보다는 과정을 더 중요하게 여기며 격려해야 한다.

아이가 지나치게 부모에게 의존성을 보인다면 억지로 명령하거나 부모와 떼어놓지 않도록 하는 것이 중요하다. 아이의 불안감이 증대되면 오히려 더욱 의존적인 모습을 보일 수도 있기 때문이다. 부모가 자녀와의 시간을 충분히 가지면서 함께 있지 않더라도 항상 너를 보살피고 있다는 것을 느낄 수 있도록 따뜻한 부모의 사랑을 전하도록 하자.

'북풍과 해님' 동화에서 나그네의 옷을 벗게 하는 것은 매서운 북풍이 아니라 따뜻한 햇볕이다. 부모는 항상 자녀가 언제든지 기댈 수 있는 버팀목이 되어야 하며, 언제라도 마음 놓고 이야기할 수 있는 편안한 안식처가 되어야 한다.

따스한 햇볕처럼 온화한 사랑을 우리 자녀에게 넘치도록 주자.

독립심은 억지로 떼어 놓으면서 형성되는 것이 아니라, 부모가 부드럽고 따뜻한 마음으로 자녀를 사랑할 때 자연스럽게 생기는 것이다.

부모의 든든한 사랑을 받는 자녀는 친구들과의 관계에서 언제나 자신감이 넘친다.

배려와 양보도 잘하고 리더십이 있으며, 독립심이 강한 훌륭한 아이로 성장하게 될 것이다.

칭찬으로 더 크게 사랑하자

남아프리카 원시 부족 가운데 하나인 바벰바족 사회에는 범죄 행위가 극히 드물다고 한다.

어쩌다 죄짓는 사람이 생기면 그들은 정말 기발하고 멋진 방법으로 그 죄를 다스린다고 한다. 부족 중 한 사람이 잘못을 저지르면 그를 마을 한복판 광장에 데려다 세운다. 마을 사람들은 모두 일을 중단하고 남녀노소 할 것 없이 광장에 모여들어 죄인을 중심으로 큰 원을 이루고 둘러선다. 그리고 한 사람씩 돌아가며 모두가 들을 수 있는 큰 소리로 한마디씩 외친다.

그 외치는 말의 내용은 잘못 한 일들이 아니라, 가운데 선 사람이 과거에 했던 좋은 일들을 칭찬하는 것이다. 장점, 선행, 미담 들이 하나하나 열거된다. 어린아이까지 빠짐없이 말해야 한다. 과장이나 농담은 일체 금지되고 모두 진지하게 그를 칭찬한다. 판사도 검사도 없고 변호사만 수백 명 모인 법정과 같다. 짧게는 몇 시간에서 길게는 며칠에 걸쳐 칭찬이 끝나면 그때부터 축제가 벌어진다. 잘못을 저질렀던 사람이 기발한 의식을 통해 새사람이 되었다고 인정하고 축하하는 잔치를 벌이는 것이다.

실제로 이 놀라운 칭찬 폭격은 잘못으로 위축되었던 사람의 자존심을 회복시켜 준다.

정말 새사람이 되어 모든 이웃의 사랑에 보답하는 생활을 하겠다는 결심을 하게 만든다.

이런 칭찬 잔치 때문에 바뱀비족 사회에서는 범죄 행위가 극히 드문 것이다. 남아 있는 원시 종족사회에 이렇게 훌륭한 문화가 있다는 것은 참으로 대단한 일이다. 사람의 마음이 어떻게 움직이는지를 정확하게 꿰뚫어 보고 있는 바뱀비족은 매우 훌륭한 마음의 법칙을 터득한 사람들이다.

바뱀비족의 칭찬 문화를 보며 자식을 어떻게 키워야 하는가에 대해 부모는 좋은 답을 찾을 수 있다. 부모는 자식의 잘못한 점을 지적하는 것이 아니라, 잘한 점을 구체적으로 칭찬해야 한다. 그 칭찬의 이면에는 '너는 훌륭한 아이야.' '너는 무엇이든지 잘하는 아이야.' '너는 정말 사랑스러운 아이야.'라는 믿음이 있다.

'괜찮아. 엄마는 다음에는 잘하리라 믿는다.'라고 긍정의 눈으로 바라보고 격려한다면 아이는 다음에는 실수하지 않으려고 할 것이다.

부모가 자녀에게 줄 수 있는 최고의 선물은 행복이다.

특히 영유아기에는 행복을 느끼는 중요한 시기이므로 행복한 느낌, 사랑받는 느낌, 긍정적인 느낌은 절대적이다.

이 시기에 부모에게 사랑을 받지 못한 사람은 정서적으로 안정된 삶을 영위하기 어렵다.

왜냐하면, 어린 시절 부모가 보여준 반응을 통해서 자신과 삶에 대한 느낌을 배우기 때문이다. 그러므로 부모는 자녀에게 어떤 말을 하고 어떤 느낌을 주는지 한번 깊이 생각해 보아야 한다.

만약 부모가 아이에게 화를 내면서 꾸지람을 한다면 자녀는 자신과 세상에 부정적인 것들을 많이 배우게 될 것이다. 한 아이의 일생을 좌우하는 것은 바로 부모의 말과 행동으로 아이 인생의 지표가 되기 때문이다. 자아존중감이 높은 부모의 자녀에게서 높은 자아존중감의 수치를 볼 수 있지만, 부모의 자아존중감이 낮으면 자녀 역시 낮은 자아존중감을 보인다.

자아존중감이란 자기 자신을 가치 있고 긍정적인 존재로 평가하는 것이다. 자신의 가치를 알고 소중하게 생각하는 사람이다. 스스로가 다른 사람의 관심과 사랑을 받을 만하다고 느끼는 사람이다. 자신에게 주어진 일을 잘 해낼 수 있다고 믿는 사람을 말한다.

자존감이 높은 아이는 매사에 자신감이 있어 친구를 도와주고 배려하고 양보한다.

친구와 견해 차이가 발생하면 상대방의 상황을 이해하고 수용하는 마음이 있어 잘 지내게 된다.

아이의 이름을 불러 야단을 치면 아이는 엄마에 대한 부정적 이미지, 자신에 대한 부정적 이미지를 만든다. 그래서 화가 난다고 함부로 말하면 아이의 마음에 큰 상처로 남을 수 있다. 아이가 거슬리는 행동을 할 때는 속상해하는 감정은 받아주고, 그릇된 행동을 중심으로 이야기해야 한다.

아이의 이름을 불러줘야 하는 순간은 아이를 칭찬할 때이다. 아이에 대해서 좋은 말을 할 때 아이는 자신의 이름의 호감과 존중의 의미로 받아들이게 된다. 이름을 부르는 것은 다른 사람들과 관계를 맺는 아주 좋은 방법이므로 부정적인 상황에서는 사용하지 않도록 해야 한다.

부모는 자식이 무엇을 잘해야만 칭찬하는 것이 아니라, 조건 없는 격려와 칭찬으로 더 크게 사랑해야 한다. 칭찬받으며 자라는 아이는 항상 자신감이 넘치고 행복한 아이로 성장하게 된다.

3H로 우리 가족 행복지수 높여요
(Happy Smile Happy Talk Happy Mind)

"세상에서 가장 밝은 소리는 자녀의 웃음소리
세상에서 가장 정겨운 소리는 엄마 아빠와 자녀의 대화 소리
세상에서 가장 행복한 소리는 우리 가족의 넘치는 웃음소리
세상에서 가장 아름다운 소리는 우리 가족의 다정한 목소리"

웃음이 넘치는 행복한 소리가 아름다운 가정을 만든다. 항상 웃고 행복한 마음을 가지고 서로에게 칭찬하는 아이는 늘 사랑으로 가득하다. 우리 아이에게 더, 더, 더 바라는 마음은 부모의 욕심이라는 결핍감에서 비롯되지만, 이대로 충분히 잘하고 있다는 부모의 믿음은 풍요로운 마음에서 나온다. 미움은 미움을 낳고 사랑은 사랑을 낳는다. 콩 심은 데 팥 나올 수 없듯이 결핍감은 풍요로움을 낳을 수 없다. 부모의 풍요로운 마음이 우리 아이에게 사랑, 즐거움, 기쁨, 감사를 알게 한다. 부모의 여유로운 마음이 우리 아이에게 자신감, 신뢰, 믿음을 갖게 한다.

일상생활에서 부모가 자녀와 주고받는 대화 중에 부모의 말 한마디가 자녀에게 어떠한 영향을 미치는지를 생각해 본 적이 있나요?

부모라면 누구나 자녀를 잘 키우고 싶어 한다. 하지만 부모와 자녀 사이의 대화를 살펴보면 자녀의 감정을 크게 해치는 말을 자신도 모르게 자주 사용하고 있는 경우도 있다.

잘못을 지적한다고 해서 아이를 변화시킬 수 있게 될지도 의문이다. 정말 자녀가 행복하게 자라길 바란다면, 아이가 잘하는 것을 칭찬으로 인정해 주며 아이의 말에 귀를 기울이고 따뜻한 사랑을 주는 것이다.

옛날을 돌이켜보면, 퇴근하여 집에 가면 먼저 거실을 보았다. 거실 바닥에 놓여있는 과자봉지, 가방, 신발주머니, 책 등이 어지럽혀 있으면, 4살, 8살 딸들에게 화를 내고 일방적으로 지시하며 야단부터 쳤다. 그러다 보니 딸이 엄마에게서 친밀감을 갖기보다는 눈치를 보며 엄마의 말에 대한 반감을 갖게 되었다.

이러한 일들을 지켜보던 남편이 하는 말,

"당신이 야단칠 때 아이들 얼굴 표정을 봐. 엄마가 퇴근해 올 시간을 기다리며 둘이 의지하며 잘 놀고 있는데 엄마가 야단을 쳐야 하는지 안아주고 칭찬을 해야 하는지 어떻게 해야 할까? 어질러진 거실은 아이들이 잘 놀았다는 증거야."

남편의 그 한마디에 망치로 머리를 맞은 기분이었다. 난, 거실 바닥이 어질러져 있어 힘들게 청소할 생각에 화만 냈지, 우리 아이들의 마음도 읽지 못하고 따뜻한 사랑도 주지 못했던 것이다. 그날 이후에도 여전히 거실 바닥은 어질러져 있지만 예전처럼 화가 나거나 야단치지 않았다.

'정말 우리 딸이 신나게 즐겁게 잘 놀았구나. 감사합니다.'라고 고마운 마음을 가졌다.

그러다 보니 점점 편안한 마음이 들고, 딸을 자주 안아주게 되어 서로

친근감을 갖게 되었다.

딸도 자유롭게 느낌이나 감정의 의사 표현도 나에게 하고, 자기 할 일을 스스로 하게 되었다.

부모는 자녀의 힘찬 도약을 위한 구름판이라고 한다.

자녀는 부모의 칭찬과 인정을 먹고 산다. 자신의 기대만큼 무언가를 완성하지 못해 속상해하는 아이에게 얼마나 잘하고 싶은 마음이면 이렇게 속상해하겠니? 괜찮아. 다음에 다시 한번 해보자라고 인정해 주자.

부모로부터 격려와 칭찬을 받고 자라는 아이는 자신을 사랑하고 신뢰하는 마음으로 자랄 수 있다. 부모는 자녀가 행복하면 함께 행복하다. 또한, 부모가 행복해야 자녀가 행복하다.

일상생활에서 부모와 자녀는 늘 행복한 웃음(Happy Smile), 행복한 칭찬(Happy Talk), 행복한 마음 (Happy Mind)으로 지내면 우리 가족의 행복지수는 더욱 높아질 것이다.

어린이는 지금 당장 놀아야 한다

"어린이는 지금 당장 놀아야 한다."

드라마 속 대사인데 공감이 가는 이유는 무엇일까?

요즘 아이들은 아이답게 마음껏 뛰어놀 공간도 없을 뿐 아니라 마음껏 뛰어놀지도 못한다.

당연히 아이는 아이답게 뛰어놀아야 하는데, 집 근처 놀이터에 아이들이 사라진 지 오래 이다. 아이들은 서로 어울려 놀면서 긍정적인 자아 정체성이 생기고, 사회성과 창의력도 키우고, 놀이를 통해 판단력과 협동심도 기르게 된다. 하지만 부모들은 내 아이가 다른 아이들에 비해 뒤처질까 봐 미리 조바심을 내고 오직 공부만 시킨다.

어린이집에 다녔던 5살 아이는 엄마 손에 이끌려 정해진 스케줄에 따라 학습지 공부로, 문화센터로, 태권도 학원으로 다녔다. 어린이집에서 아침에 엄마와 헤어질 때 친구들은 엄마에게 빨리 오라고 말한다.

그런데, 아이의 인사는 엄마보고 제일 늦게 오라고 말하는 것이다.

아이의 소원은 어린이집 실외 놀이터에서 신나게 한번 노는 것이다.

아이가 사는 아파트에 5살 또래의 친구는 한글을 다 알아 혼자서 그림책도 읽고 쓰기도 한다. 아이 어머니는 글자에 관심이 없고 놀이를 더 좋아하는 아이를 보면 걱정이 되어 공부를 시킨다고 하였다.

유아기는 모래나 흙, 장난감을 가지고 엄마와 같이 놀거나, 마음껏 뛰고 달리고 친구와 함께 놀면서 사회성을 기르며 학습할 준비를 하는 시기이다. 하지만 아이 어머니는 아이에 대한 기대감과 부모의 욕심, 자랑하고 싶은 마음이 엄마의 사랑이라고 생각하는 것 같다.

잘 노는 아이가 창의력도 있고 자신감도 생겨서 나중에 공부도 잘하게 된다. 유아기는 밖에서 마음껏 뛰어노는 시기이지 공부하는 시기가 아니다.

아이들은 제 나이만큼 받아들이게 마련이다. 능력에 넘치는 조기교육은 큰 부작용으로 남아 나중에는 공부가 싫어질 수도 있다. 발달에 앞서 무리하게 시키는 교육은 한참 후에 더 큰 부작용으로 부메랑이 되어 돌아오기도 한다.

영아가 서는 시기, 걷는 시기, 배변을 가릴 수 있는 시기가 있었듯이 한글이나 숫자에 관심을 가지는 시기가 있다. 학습할 준비가 된 시기에 학습을 하면 쉽게 흡수하고 성취감과 자신감을 갖게 된다.

아이가 아직 공부할 준비가 안 되었다는 것을 이해하신 아이어머니는, 아이가 하기 싫어했던 학습지와 문화센터를 그만두고 아이가 좋아하는 태권도장에만 보냈다. 그리고 아이가 놀고 싶어 하던 어린이집 실외 놀이터에서 어두워질 때까지 마음껏 놀게 해주셨다. 신나게 모래놀이하고 놀이기구를 즐기며 밝아진 모습을 보고 아이 어머니도 기뻐하셨다.

신문에서 본 기사 내용이다.

2013년 K-팝스타의 대상은 받은 '악동 뮤지션'을 모르는 사람은 아무도 없을 것이다. 많은 사람들을 놀라게 한 악동 뮤지션의 창의성의 배경에는 전문적인 영재교육이 아니라, 아이들의 행복을 우선시하는 부모의 믿음과 지원이 있었다. 악동 뮤지션의 아버지는 어느 날 '내 생각으로 판단하고 남매에게 뭔가 가르치려고 엄하게 대하는 내 자신에게 문제가 있구나.'라는 것을 깨달았다고 한다. 이후로 엄한 잣대를 내려놓고 재촉하지 않고 기다려주자 남매는 놀이를 통해 창의력을 발휘하기 시작했다고 한다. 몽골에서 지낸 초등학교 시절, 남매는 심심하면 기타를 치고 노래를 했는데, 자유롭게 곡을 만들고 노래하는 것이 즐거운 놀이였던 것이다.

　　K-팝스타 대상은, 재미있고 행복하게 음악을 하는 남매를 지켜보며, 부모님이 격려와 칭찬 그리고 무조건 자녀를 믿고 기다려 준 결과인 것이다.

　　자녀의 행복은 바로 부모에게서 시작된다. 부모는 아이에 대한 기대감이 아닌 사랑으로 자녀의 행복을 채워주자.

민 광 순
iksmin25@naver.com

국공립 역곡하나어린이집 원장
가톨릭대학교교육대학원 유아교육학 석사
유아교육 경력 38년
경기도 국공립어린이집연합회 부회장
RT(반응성상호작용)부모교육 전문강사
인천효행장려센터 효인성 전문강사

"진짜 가르쳐야 할 것은 수학이 아니라 가치이고,
정말 키워줘야 할 것은 키가 아니라 자존감이다!"

-본질육아, 지나영 교수

내 아이 자존감의
스위치를 켜라!

사랑으로 존중받은 아이들과 부모님, 교직원
모두의 자존감 스위치는 언제나 ON!

초보 엄마,
잘하고 있는 걸까?

부모의 선택

처음 어린이집을 상담하는 부모의 반응과 태도는 참으로 다양하다. 무엇을 물어야 하는지 잘 모르겠다는 부모부터, 메모지에 꼼꼼하게 궁금한 사항을 적어서 하나씩 챙겨가며 교육과정은 어떻게 되는지? 특별활동은 무엇을 하는지? 특성화는 어떤 내용이 진행되는지? 아이들의 식단은? 도시락 준비는? 낮잠 시간에 잠이 안 오면? 등 꼼꼼하게 문의하는 부모까지, 어떤 태도를 하고 있든 간에, 모두가 내 아이를 위하여 좋은 선택을 하기 위한 부모의 노력인 것이다.

'부모님이 가장 중요하게 생각하는 것은 무엇일까?'

'혹시 염려되는 부분이 있는 걸까?'

상담한 모든 부모가 우리 어린이집을 선택하는 것은 아니다. 길게 상담하고 담임 선생님에 대한 궁금증까지 이야기하고 일어서는 부모의 모습에 나는 자신 있게 대답한다.

우리 어린이집에 오게 된 것이 아이에게 복이라고!

마음속에는 선생님의 사랑과 존중이 꼭 필요한 아이들이 우리 어린이집에 오는 것이라는 확신이 있다. 생떽쥐페리의 「어린왕자」에 나오는 보아뱀의 그림과 소중한 것은 눈에 보이는 것이 아니라는 어린 왕자의 말을 생각한다.

'햇살까지 아름다운 어린이집'이라는 제목으로 유아교육 잡지 월간 유아 (2022.04)에 소개된 적이 있다. 단순히 건물이 예쁘게 지어져서가 아니라 교사들과 함께 서로 존중하며 교사인 것에 행복감을 갖고 즐겁게 지내는 따뜻한 어린이집이기 때문이었다.

"아이들이 행복하기 위해서는
먼저 교사가 그들의 발달과 개별적 특성을 존중하고 지원해야 합니다.
원장은 이러한 교사를 존중하고 지원하지요.
그리고 아이들에게 가장 소중한 부모까지 지원하고 존중하니
아이들의 행복은 자연스럽게 따라옵니다!"

역곡하나어린이집에 소중한 내 아이를 보내기로 결정한 부모의 선택은 참으로 잘한 선택이다. 아이의 모습을 있는 그대로 인정하고 기다려 주며 사랑할 준비가 완벽한 어린이집이기 때문이다. 존중받고 격려받은 경험은 행복하고 자존감 높은 건강한 아이로, 마음이 따뜻하고 배려심 많은 아이, 자신의 생각을 분명하게 말할 줄 아는 아이, 스스로 해내는 주도적인 아이로 잘 성장할 것이기 때문이다. 【행복감】은 영유아기에 경험해야만 어른이 되었을 때 행복할 수 있다고 한다. 우리 원에서 삶의 기초를 이루는 영유아기를 행복하게 보낸 우리 아이들이 이 사회를 아름답게 하는 선한 영향력을 끼치며 미래의 행복한 리더로 성장할 것에 대한 확신을 갖고 엄마의 선택을 응원한다.

"부모의 선택이 곧 아이의 기회입니다."

안정적인 애착이 우선이다

신학기가 되면 어린이집은 '신입 적응'의 과정을 거치게 된다. 낯선 곳에서의 아이들 반응은 그야말로 천차만별이다. 새로운 환경이 마냥 신기해서 이곳저곳을 탐색하느라 바쁜 아이, 놀잇감과 선생님, 친구들과 부모님 사이에서 안정되지 않게 오가는 아이, 함께 온 보호자한테서 꼼짝도 않고 앉아있는 등 너무나 다양한 반응의 아이들이 보인다.

부모들의 모습 또한 다양하다. 새롭게 시작하는 자녀에 대한 염려와 걱정이 얼굴에 가득한 부모, 새로운 환경이 부모 자신도 신기한 듯 아이와 함께 이곳저곳을 탐색하며 놀이하는 부모, 아이가 탐색하며 놀고 있을 때 핸드폰 확인이 바쁜 부모도 있다. 이제 부모님과 어린이집은 아이가 새로운 환경(어린이집)에 잘 적응할 수 있기를 바라며 1년의 시작에 대한 팡파르가 울려 퍼지는 순간을 맞이한다.

부모님과 헤어지는 과정과 헤어져서 엄마를 기다리는 시간에도 아이들의 반응은 다양하다. 태어나서 처음 만나는 주 양육자와의 관계 형성을 애착이라 하는데 사회정서 발달의 시초로 아주 중요한 정서이다. 애착의 안정성 정도에 따라 신입 적응 과정에서 아이들의 모습은 다르게 나타난다.

'애착'은 에릭슨의 심리 사회적 관점의 연령별 발달과업에 의하면 출생부터 1세까지의 단계 (기본적 신뢰감 대 불신감)에서 생겨나는 정서로 영유아기에만 국한되는 것이 아니라 노년기까지도 영향을 준다고 한다.

부모와 자녀 간에 안정적이고 탄탄한 애착 형성은 이후에 이 경험을 바탕으로 새로운 사람, 새로운 환경을 만나며 행동의 길잡이로 삼는다.

아이는 자신에게 있어, 중요하다고 느끼는 사람이 어떻게 평가하는지에 따라 좋다거나 싫다고 반응했던 것이 자신을 판단하는 중요한 조건이 된다. 그뿐만이 아니라 자신에게 중요한 사람의 평가에 따라 스스로에 대한 '가치'를 발달시켜 나가는데 이것이 자존감의 기초를 이룬다.

부모와 떨어져 불안한 아이들을 충분히 안아주고, 힘들어하는 마음을 공감하며 안정적인 애착을 위해 기다려주는 시간이 쌓여, 아이들은 '안정적 적응'이라는 결과로 보답해 준다. 엄마와 헤어지며 힘든 시간을 잘 견뎌주는 아이들은 자신에 대한 할 수 있다는 믿음과 나는 소중하고 귀한 사람이라는 가치를 배우며 자아존중감을 키워가는 중이다.

울며 매달리는 아이를 떼어 놓으며 "잘 부탁드린다."는 말만 남기고, 눈물 날까 뒤도 못 돌아보며 출근하는 부모의 뒷모습은 우리들의 마음에 찐한 사명감을 불러온다.

부모의 마음을 아는 우리 교사들은, 성공적인 애착을 위해 정서적으로 편안하게 생활할 수 있도록 준비된 사랑을 실천하고 있다.

이제 부모와 교사는 협력하여 아이를 잘 키워야 하는 한 팀인 것이다.

아이들을 위해 진심으로 수고하는 교사와 믿어주는 부모들께 감사함을 느낀다.

부모인 나의 자존감은 안녕한가?
(아이와 함께 성장하는 엄마)

자존감은 태어나서 영유아기 때 부모와의 편안하고 안정적인 애착으로부터 시작한다. 영·유아기에 형성된 아이의 자존감은 인생 전반에 걸쳐 영향을 준다. 성공의 기준이 개인마다 다르듯이 자존감의 기준도 마찬가지일 것이다.

어릴 적에 난 산수를 잘했다. 지금 생각해 보니 먼저 학교에 다니는 언니 오빠 덕분에 덧셈, 뺄셈을 자연스럽게 알게 된 것이었을 것이다. 그런데 아버지는 "산수를 잘하면 머리가 좋은 거야."라는 말씀을 자주 해주셨다. 그래서인지 난 늘 내가 공부를 잘하는 아이라고 생각하며 지냈었다.

초등학교 1학년 국어 시간 일어나서 선생님이 책 읽는 것을 똑같이 따라 하는 시간이었다. 선생님께서 먼저 "태극기가 펄럭펄럭!" 읽으셨는데, 나는 "태극기는 펄럭펄럭!"이라고 읽은 것이다. 선생님은 "태극기가~"하셨고, 나는 "태극기는~"이렇게 반복되며 선생님은 결국 큰소리를 치셨다. 난 거의 울음 섞인 목소리를 하면서도 "태극기는~"으로 고집을 피웠었다. (왜 그랬는지는 잘 모르겠다.) 결국엔 책도 빼앗기고 크게 혼난 후에 집에 갈 수 있었다. (요즘엔 도저히 상상할 수 없는 상황이다.) 그런데 다음 날 학교 가는 길가에 패랭이꽃이 너무 예쁘게 피어 있어서 한 다발 가득 꺾어다 선생님께 드렸다. 선생님은 "어제 그렇게 혼났는데 이렇게 꽃을 꺾어 왔느냐?"며 날 안아주셨다.

생각해 보면 엄청 혼낸 선생님께 주눅 들어 말도 못 붙일만한데 나는 그렇지 않았다. 별로 마음에 상처가 되지 않았고 그 뒤로도 스스로가 '난 공부 잘하는 사람이야.'라고 생각하며 학령기를 잘 마쳤다.

마음이 넉넉하신 부모님의 사랑을 많이 받아서인지 어떠한 상황에도 상처를 크게 받지 않고 지낼 수 있었다. 그 후 시골에서 고등학교까지 마치고 서울로 대학을 온 나는 서울 친구들의 생활과 나의 생활이 비교되기 시작했고 시골에서 힘들게 농사만 지으시는 부모님의 삶은 온전한 희생이라는 생각에 늘 마음 한구석에 부모님에 대한 마음의 짐이 있었다.

내가 부모가 되면 자식들에게 마음의 짐을 주지 않겠다는 각오를 하며, 결혼 후에도 출산 휴가 3개월 외에는 쉬지 않았고, 38년이 넘는 시간을 한결같이 즐거움으로 생활하고 있다. 그러는 과정에는 남편과 아이들의 희생이 요구되기도 해서 미안한 부분도 있다. 그럼에도 아내와 엄마의 일하는 모습이 당당하고 즐거워 보여서 보기 좋고 자랑스럽다는 이야기를 들을 때면 젊은 날 정신없이 바쁘게 지낸 시간을 보상받는 듯하여 뿌듯하다.

부모가 행복할 때 아이가 더 행복하다는 것은 이미 우리 모두가 다 알고 있을 것이다.
"어머니, 힘드시죠?" 건네는 인사말에,

"저는 괜찮아요. 아이들만 잘 자라면 돼요."라며 환하게 웃어 보이는 엄마의 큰 사랑을 만난다. 만날 때마다 진심으로 안아드리며 마음속으로 '힘 내세요!'라고 응원하고 있다.

부모 중에는 자녀의 성공을 위해 자신의 삶을 포기한 채 모든 정성을 아이에게만 쏟는 경우가 있다. 나의 경험으로 비추어 볼 때, 그것은 분명 훗날 자녀에게 부담감으로 다가온다.

선배 부모로서 조언하고 싶은 부분이 있다.

가장 중요한 것은 부모로서의 삶이 중요하지만 '나만의 인생'이 있음을 꼭 기억하셨으면 좋겠다. 때로는 나를 위해 친구도 만나고, 영화를 보기도 하며, 나만의 취미생활을 해도 좋을 것이다. 자신을 위한 여유 시간을 갖는 부모는 자신을 사랑할 줄 알며, 자신을 사랑하는 그 에너지로 아이를 넉넉히 사랑할 수 있을 것이다.

지금이
골든타임

엄마가 행복해야 아이도 행복하다

내 아이가 지금 행복하고, 행복한 어른으로 성장하여 잘 살아가기를 바라는 것은 이 세상 모든 부모의 바람일 것이다. 첫아이를 낳고 기쁨과 환희에 '난 좋은 부모가 될 거야.' 다짐했던 순간을 우리 모두는 기억할 것이다. 하루하루 아이가 성장하며 눈 맞춤하고, 옹알이하며 방긋방긋 웃어줄 때는 이 세상에 그 무엇과도 바꿀 수 없는 행복한 시간이었다. 이제 걸음마가 시작되고 자유롭게 움직이며, 그 예쁜 입으로 앙증맞은 말들을 쏟아내기 시작하면 우리 아이는 '어쩌면 천재일지도 모르겠네!'라는 생각을 하게도 된다. 이렇게만 잘 자라준다면 바랄 것이 없다는 생각도 한다. 하지만 부모들은 곧 세상의 기준에 맞춰진 우리 아이의 행복을 위한 준비를 시작한다. 공부 잘하는 아이, 똑똑한 아이, 옆집 아이와 비교하며 좋은 대학에 진학하기를, 사회적으로 성공한 사람이 되기를 기대하며 아이들을 재촉하게 된다. 이것이 아이의 행복이라고 생각하는 것이다.

얼마 전 네 살 남자아이의 엄마와 상담하게 되었다.

"힘들어요." "아이가 빨리 컸으면 좋겠어요. 말을 안 듣고 자기 고집만 부려요. 빨리 커서 제가 말하지 않아도 되는 때가 되면 좋겠어요…."

엄마의 눈을 가만히 보며 엄마의 손을 맞잡고

"어머니, 많이 힘드시죠? 네 살은 자아가 발달하여 내가~가 많아지고 고집이 늘어나는~"

설명을 하며

"예전의 미운 일곱 살에서 이제는 미운 네 살이 되었답니다."라고 하자

"아니요, 죽이고 싶은 네 살이에요."

조금의 망설임도 없이 말하는 엄마를 보며 가슴이 아파졌다. 많은 부모들이, 아니 사회적으로도 '육아 스트레스'라는 용어를 참으로 많이 사용하는 시대이다.

'정말 육아가 스트레스인가?'
'부모 된 것이 행복이어야 하지 않을까?'

엄마가 행복해야 아이가 행복하다. 엄마가 행복하려면 아이가 행복해야 한다. 행복한 아이가 행복한 어른으로 자란다. 그렇다면 행복이란 무엇일까? 여러 가지가 있을 것이다. 가족이 건강하고, 하고 싶은 일을 하며, 경제적으로 여유로운 것 등이 행복의 조건으로 행복에 대한 정의는 다양하

게 설명할 수 있다. 그러나 아이를 행복한 천재로 키운 칼비테는 놀이에서 **행복**을 이야기하며, 잘 노는 아이가 행복하다고 한다. 인생의 즐거움을 아는 아이로 키워야 한다며 공부도 놀이이고 즐거운 것으로 접근해야 한다고 하였다.

교실에서 놀이에 몰입한 아이들을 보며 행복했고, 놀이 이야기를 전달받은 부모의 행복한 표정을 본다. 부모와 아이, 누가 먼저 행복한 것이 아니라 서로 함께할 수 있는 것이 행복이다. 혹 어렵고 힘든 상황이 있을 때는 지혜롭게 해결하며 극복의 힘을 키우는 것도 행복이다.

축구선수 손흥민의 아버지 손웅정은 「모든 것은 기본에서 시작한다」는 책에서 중요한 말을 했다.
"가정은 최초의 학교고 최고의 학교다. 아이들은 부모가 하는 말에 앞서서 부모가 어떻게 행동하는지를 먼저 보고 배운다."

"부모라면 끝없이 고민해야 한다. 나는 내 아이가 축구선수로서가 아니라 한 명의 인간으로서 가장 행복한 순간이 언제인지 생각한다."

"신뢰와 격려로 멀리서 지켜봐 주는 것. 그 아이가 스스로 미래를 만들 수 있도록 믿으며 응원해 주는 것. 부모가 할 수 있는 건 그것뿐이다."

부모로서 어떻게 이런 생각을 하면서 자녀를 키웠는지 존경하는 마음이 생긴다.

자라서 자기 삶을 잘 살아가는 자녀를 둔 부모는 분명 행복하다. 특별히 아빠들이 이 책을 읽기를 강추한다.

자존감 높은 내 아이, 지금이 골든타임

요즘은 모두 외동이거나 한두 명의 자녀들만 있다. 입학 상담하러 온 부모님이 "우리 애가 자존심이 강해요" 이렇게 말씀하시는 분들이 있다. 이 부모님의 생각 속 아이의 이미지를 그려보자. 아마도 '우리 아이가 똑똑해요.'라는 의미를 내포하고 있는 것을 아닐까? 자존심이 센 우리 아이의 기를 죽이지 말라는 이야기일 것이다.

자존감(자아존중감, 영어:self-esteem)의 사전적 의미는 자신이 사랑받을 만한 가치가 있는 소중한 존재이고, 어떤 성과를 이루어 낼 만한 유능한 사람이라고 믿는 마음이다. 자아존중감이 있는 사람은 정체성을 제대로 확립할 수 있고, 정체성이 제대로 확립된 사람은 자아존중감을 가질 수 있다. 자아존중감은 객관적이고 중립적인 판단이라기보다 주관적인 느낌이다. 자신을 객관화하는 것은 자아존중감을 찾는 첫 단추이다. 간단히 자존감이라고도 한다.

자존감이라는 개념은 자존심과 혼동되어 쓰이는 경우가 있다. 자존감과 자존심은 자신에 대한 긍정이라는 공통점이 있지만, 자존감은 '있는 그대로의 모습에 대한 긍정'을 뜻하고 자존심은 '경쟁 속에서의 긍정'을 뜻하는 등의 차이가 있다.

자존감은 '자신을 존중하는 마음'이다. 다시 설명해 보면 '자기 자신에 대한 긍정적인 마음이나 내적인 가치'라고 할 수 있다. 주변에도 '나는 사렁받고 있어. 나는 가치 있는 사람이야'라는 느낌을 주며 당당하고 자신 있어 보이는 사람이 있다. 이런 사람이 바로 '자존감' 높은 사람이다.

그렇다면 자존감이 낮은 사람이 갖고 있는 특징을 몇 가지 살펴보자.

첫째, 남의 눈치를 본다.

지나가는 사람들이 나를 욕하는 것은 아닌지, 다른 사람의 반응을 자꾸 살피게 된다. 그러나 일반 사람들은 생각보다 다른 사람들의 삶에 별로 관심이 없다.

둘째, 자기식대로 해석한다.

길을 가다가 눈이 마주치거나, 엘리베이터에서 눈이 마주치면 자기를 째려본다고 생각하거나 자기가 인식공격을 받은 느낌을 갖는다. 혹은 남이 하는 말을 한 번 꼬아 생각하며 의미를 부여하기도 한다. 반대로, 상대방이 나에게 관심이 있어서 그랬다거나 긍정적으로 받아들이는 노력을 해야 한다.

셋째, 눈을 잘 못 마주친다.

상대와 이야기하다가도 눈이 마주치면 하던 말을 더듬는 경우도 있다. 상대와의 아이컨텍은 서로의 관계에 대해 더욱 신뢰감을 상승시킬 수 있으니 대화 시 서로의 눈을 바라보는 것을 조금씩 시도해 보는 것이 필요하다.

넷째, 스스로를 비하한다.

자신과 다른 사람을 비교하며 나 자신의 말과 행동에 대해 자책하기도 한다. 자신을 있는 그대로 인정하며, '괜찮아. 그럴 수도 있어'라고 다독여 주고 사랑하면 점점 좋아지는 모습을 보게 될 것이다.

다섯째, 자기주장을 미룬다.

상황에 대해 싫다고 말하지 않고 그냥 다른 사람의 의견에 따르거나 남의 반응에 민감한 행동을 한다. 오히려 자기주장을 명확하게 말하는 것이 사람들에게 믿고 신뢰감을 줄 수 있게 된다.

어린이집의 일상에서 사용되고 있는 자존감 높이는 방법을 살펴보자.

첫째, 우리 아이의 말과 행동을 마음으로 읽어주며 인정하고 지지하며 긍정적으로 소통한다. 아이의 행동이나 말을 잘 듣고 눈을 마주치며 일단 감정을 수용해 주고 안아주며 언어적으로도 따뜻한 말로 표현해 준다.

둘째, 칭찬으로 좋은 습관을 기른다.

칭찬은 고래도 춤추게 하며, 배신하지 않는다고 했다. 긍정적인 면을 강조하며 과정을 칭찬받은 아이는 다른 사람에게 인정받았다는 생각에 기뻐하고 그 기쁨으로 다음에도 칭찬받을 수 있는 행동을 하려고 한다. 반복된 좋은 행동은 습관이 되어 자존감이 높은 아이로 성장하여 가는 것이다.

셋째, 놀이를 통해 집중하는 힘을 기른다.

놀이는 삶의 활력소가 되는 에너지를 만들어 낸다. 현재 우리나라 유아교육의 유치원과 어린이집 교육과정의 핵심 키워드는 영유아 중심, 놀이 중심이다. 놀이의 요소에는 즐거움이 있다. 아이가 흥미 있는 것에 즐거움이 더하여 배움으로 연결되는 것이 놀이 중심의 핵심 요소이다. 즐거움이란 몰입할 수 있는 요소이며 집중력을 높여주는 것은 너무도 당연하다. 집중력이 높아진다는 것은 사회·정서에서 자기 통제감이 높아져 자존감이 높은 아이로 성장하게 된다.

모든 발달에는 일정한 순서가 있고 연령별로 발달 단계가 있다. 자존감 발달 또한 애착의 단계부터 안정적으로 잘 발달하고 각 연령의 시기마다 적정하게 존중받아 마음이 건강하게 잘 성장해가는 것이다. 그러나 모든 부모나 아이들이 다 그렇지 못했을 수도 있다. 괜찮다! 그럴 수도 있다. 알게 된 지금, 깨닫게 된 지금부터 다시 시작하면 되는 것이다. 누구나 시행착오를 한다. 지나간 시간을 후회하며 지금의 주어진 시간까지 빼앗기는 것이 더 안타까운 일이다.

아이의 자존감, 지금이 골든타임이다.

문제의 상황은 교육과 배움의 기회

episode 1 : 급해서 그랬어

　부모로서 사랑하는 자녀들에게 좋은 환경과 좋은 교육의 기회, 편안하고 안정적인 상황을 제공하고 싶은 것은 두말하면 잔소리일 것이다. 우리 어린이집이 현재의 모습으로 신축하기 이전에 있던 일이다. 지금은 각 교실마다 화장실이 있어서 크게 줄을 서야 하는 상황은 그렇게 많지는 않다. 그러나 신축하기 전의 어린이집(생각하니 너무나도 소중하고 귀한 이야기를 가득 간직하고 있는 어린이집이어서 그립기도 하다.)은 78명 정원에 화장실이 하나로 남자 소변기 2개, 여자 소변기 2칸, 교사용 1칸이었기에, 화장실 사용에 대하여 각 반이 서로의 시간을 조율해야 하는 불편함이 있기도 했었다. 원장인 나도 화장실을 사용할 때는 교사들의 상황에 무언의 눈치를 보며 이용하고는 했다. 그날도 점심 식사 후 화장실이 조금 한가한 시간을 이용하여 화장실에 갔다. 여섯 살 여자아이들 세 명이 그 좁은 화장실에서 조금은 상기된 표정과 높아진 목소리로 이야기를 하고 있었다. 한 아이는 거의 눈물이 흐를 것 같은 표정으로 각자의 이야기는 끝이 나지 않고 있다.

　"내가 줄 서 있는데 왜 네가 먼저 들어가."

　"아니 내가 급해서 그런 거야."

　"그래도 내가 줄 서 있었잖아."

　"내가 급해서 그랬던 거야."

"그래도 미안하다고 말하고 들어가야지."

"내가 급해서 그런 건데 넌 친구면서 이해도 못 해?"

"그러니까, 말하고 들어가면 되잖아!"

두 아이들의 말은 끝이 없었다. 그 옆에 서 있는 한 아이는 두 친구의 얼굴을 말할 때마다 번갈아 쳐다보고 있었고, 나 또한 여섯 살 아이들의 논리와 자기주장에 살짝 웃음이 나와서 그냥 지켜보고 있었다. 계속 보고만 있을 수 없어서,

"왜? 무슨 일일까?"

라는 말에 옆에서 번갈아 친구들의 얼굴을 바라보던 아이가

"아! 그러니까요. 왜냐하면, ○○가 화장실에 가려고 하는데 ●●가 너무 급해서 화장실을 먼저 들어간 거예요. 그래서 ○○가 화가 난 거예요."

"그랬구나. 그럼 어떻게 하면 좋을까?"

그 말에 지켜보던 아이가

"아! 선생님한테 말할게요." 말을 채 마치지도 않고 달려 나가는 모습에 웃음이 절로 나왔다.

얼마나 황당했을까?

화장실에 들어가려는데 뒤에 온 친구가 갑자기 말도 없이 먼저 들어가 버렸으니 당황했을 것이다. 또 한 아이는 아무리 내가 미리 양해를 구하지는 않았지만, 너무 급해서 그랬던 건데 친구가 그것도 이해해 주지 않고 화를 내니 섭섭했을 것이다.

친구들의 상황을 다 지켜보다가 정리해서 말할 줄 아는 아이는 또 어떤가?

우리 아이들은 아주 잘 크고 있던 것이다. 각자의 입장에 자기의 생각을 명확하게 말할 줄 아는 우리 아이들이 너무 대견하고 사랑스러웠다. 아이들에게 모든 상황은 배움의 기회이다.

자기의 생각을 적절하게 표현할 줄 아는 아이들은 자존감을 키워가고 있는 중이었다.

episode 2 : 우리 결혼했잖아요

생각만 해도 웃음이 절로 나오는 이 이야기는, 지금은 부모님의 직장으로 멀리 이사 간 다섯 살 남자아이의 이야기이다. 그 당시의 주제는 가족이었고 결혼에 대한 놀이 상황임이 교실 환경에서 알 수 있었다. 아이들과 인사하기 위해 오전 놀이시간에 교실에 들어서니 그 남자아이가 꽃다발을 가져와 건네며,

"원장님, 우리 결혼해요."

그러고는 반지까지 가져와서 끼워준다.

"어머 행복해라. 감사해요."

잠깐 놀이에 참여하고 나오려는데, 와서 번쩍 끌어안고 매달리며

"우리 결혼했잖아요. 가지 마요."

가지 말라는 것이다. 결혼했으니 계속 같이 있는 거란다. 조금 더 같이 놀까를 생각하다가 "결혼해도 각자 할 일은 해야 하는 거야. 그래야 더 행복하게 살지!"

알아듣는 걸까? 아쉬워하는 표정으로 손을 풀어주는 아이한테

"일하고 올게요. 저녁에 만나요."

손 흔들어 인사하고 나오는데 두 아들을 예쁘게 키우고 있는 가정의 모습이 행복으로 그려졌다. 엄마 아빠가 서로 사랑하는 행복한 가정은 아이의 마음에 안정감과 함께 자존감을 쑥쑥 키울 수 있는 참 좋은 환경이다.

episode 3 : 우린 매일 아침 하이파이브해요

교사인 내가 참 좋다. 이 일은 하나님께서 내게 허락하신 천직이다. 매일 아침 아이들의 이야기가 있는 교실에 들어가서 아이들의 놀이에 끼워 달라고 사정도 해보고, 병원놀이하는데 바쁘니 먼저 진료해 줄 것을 부탁도 해본다. 배려심 많은 우리 아이들, 원장님이 너무 피곤해 보이니 링거 맞고 가라며 과잉 진료(친절이고 사랑이다)로 굳이 침대에 누인다. 어느새 링거 줄에 연결하여 만들어진 커다란 주사기를 꽂아주는 간호사한테 지금은 급한 일이 있어서 다음에 꼭 다시 오겠다고 진료를 마치려는데, 진료한 의사 선생님 처방이 훌륭하다.

"과자 먹지 말고 야채랑 과일을 많이 먹으세요."

비타민 처방을 해주는 것이다. 누가 알겠는가? 이 아이를 위한 하나님의 계획을!

20년 뒤 아니, 30년 뒤 시간이 흐른 어느 날 멋진 의사 선생님이 되어 진료하고 있는 모습을 상상해 본다.

아침이면 교실을 한 번씩은 들어가서 아이들의 이름을 불러주며 눈을 마주하고 하이파이브하고 나오는 것이 일과 중에 빼놓을 수 없는 하나이다.

우리 아이들이 '난 소중한 사람이야'라고 느끼게 하려는 의도로 시작하였으나 이제는 아이들에게 내가 더 큰 사랑과 행복을 선물받고 있는 셈이다. 세 살 하늘반은 아직 자기표현도 서툰데 손을 내밀어 손 맞춤을 한다. 네 살 밝은햇살반 한 친구의 울음소리에 얼른 현관에 마중 나가 눈을 마주하며 하이파이브 손을 내밀면, 눈물을 얼굴 가득 매단 채로 금방 웃는 입이 되어 안긴다. 다섯 살, 여섯 살, 일곱 살 형님들의 하이파이브는 살짝 겁이 날 만큼 힘이 세졌다.

'내가 제일 사랑하는 원장 선생님!'이라는 고백도 받았다.

우리는 이제 눈빛만으로도 통하는 찐팬이 된 것이다.

역곡하나어린이집의 멋진 친구들 파이팅!

RT하는 부모 주도적이고 자존감 높은 우리 아이!

'주도적이고 행복한 아이, 함께 성장하는 행복한 부모'

우리 원의 막내는 세 살 하늘 반이고, 제일 큰 형님 반은 일곱 살 푸른 누리 반이다. 만 1세부터 만 5세까지의 아이들로 감각운동기부터 전조작기의 발달 단계에 있으며, 에릭슨의 심리 사회적 이론에 의한 애착과 신뢰, 통제감과 자신감, 자존감이 형성되어가는 시기이다. 이 중요한 시기의 아이들에게 교사와 부모의 태도는 아이들의 전인적인 발달에 결정적 영향을 미치게 된다. 이에 우리 원에서는 아이들이 건강하고 행복한, 미래에도 역량 있는 주도적이고 높은 자존감 형성을 위하여 적극적으로 계획하고 실행하는 중점 프로그램이 있다. 바로 RT 반응성 상호작용 교수법이다.

'반응성 상호작용'은 부모와 아동, 교사와 아동의 일상적인 활동에서 즉각적으로 자주 반응적으로 상호작용함으로써 아동의 발달(인지, 의사소통, 사회·정서)를 촉진하는 교수법이다. 반응성 상호작용 교수법을 실행하며 아이들은 본인이 이미 할 수 있고 흥미 있어 하는 것에 부모나 교사가 관심을 갖고 반응해 줌으로써 내적인 동기화를 통해 선택권을 가지고 주도적이고 능동적인 태도가 길러지는 것이다.

아이들은 흥미와 관심이 있는 것에 오래 집중한다. 아동의 흥미와 관심에 반응하고 상호작용해 주므로 자연스럽게 아동의 능동적 참여를 이끌게 되고 능동적 참여는 오래 집중할 수 있는 기본이 되어 학습의 효과로 연결되는 것이다. 곧 RT 하는 부모와 교사가 자존감 높은 아이로 키워내는 것이다.

> *"반응성 상호작용하는 우리 역곡하나어린이집에는*
> *소명감 있는 역량 있는 교사*
> *주도적이고 행복한 아이*
> *함께 성장하는 행복한 부모가 있다."*

교육은, 특히 영유아기의 교육은 교육기관과 가정이 함께 연계되어 진행할 때 더 큰 효과가 나타난다. 그래서 우리 원에서는 반응성 상호작용에 대하여 교사 연수와 함께 부모교육도 진행하고 있다. 아이의 발달에 대한 바른 이해와 아이의 발달을 촉진하는 반응적인 부모를 위한 반응성 상호작용 전략까지 RT 부모교육 -반응적인 부모 되기-를 진행한다.

3회기 교육으로 진행하는데, 참여한 부모들의 반응에 교육하는 제 마음이 더 뜨거워진다. 1회기 교육에 엄마만 참여했는데 2회기에 아빠까지 함께 참여하며 3회기 상호작용 전략에 대하여 배우고 가정에서 실습한 후 피드백 받는 시간에는 조금 더 행복해질 아이들의 모습이 예측되어 뿌듯하다.

자존감은 아이가 자기 자신에게 부여하는 가치이다. 다시 말해 '내가 나를 어떻게 생각하는가?'의 상황이다. 아이 스스로의 가치를 높이려면 아이에게 성공할 수 있는 기회를 많이 주어야 한다. 성공할 수 있는 기회란 대단한 것이 아니다. 일상생활 속에서 우리 아이가 주도성을 가지고 실천할 수 있는 작은 과제를 내주는 것부터가 그 시작이다. 예를 들면, 아이 스스로 자기가 입고 싶은 옷을 고르게 하고, 쉬운 심부름을 시키거나 일상에서의 작은 일들을 함께 해보는 것이다. 영유아기의 발달을 잘 이해하며 아동의 흥미에 관심을 갖고 반응적 의사소통으로 우리 아이의 자기통제와 주도성을 길러준다면 대학교 입시 때에도 그 많은 공부시간을 참아내는 힘이 될 것이다.

"만약 아이가 매사에 관심이 없고 무기력하다면 그것은 학령기 이전 자존감의 바탕이 되는 경험들에 문제가 있는 경우가 많다. 돌 전 안정감 형성이 부족하고, 세 살 전 자율성이 훼손되었으며, 여섯 살 전 주도성을 충분히 경험하지 못했다면, 학령기가 되어서도 '내가 열심히 해서 꼭 성취해야지'하는 동기의 시동이 생기지 않게 된다."

-아이의 자존감에서-

결국,
해내는 우리 아이

내가 알아야 할 모든 것은 어린이집에서 배웠다

아침에 일어나면 습관처럼 극동방송을 틀고 하루를 시작한다. 오늘도 극동방송 금요일 아침 홍양표 박사의 '인생수업' 프로에서 공부 잘하게 하고 싶은 부모에 대한 이야기가 나오고 있다.

"부모님들은 공부를 잘하는 아이가 되기를 기대하고 있다. 자기 주도적인 활동이 잘 이루어지는 아이가 공부를 잘한다. 부모님들은 아이가 공부를 안 하고 학교 가기를 싫어하면 "왜 그러느냐?"라고 하는데, 그것은 어려서부터 기본생활 습관을 충실히 못 했다는 것이다. 공부하는 뇌는 전두엽인데 전두엽의 발달 시기인 유아기에 철저하게 자기 물건 정리하는 것부터 가르치면 결국에는 공부 잘하는 뇌를 만드는 것이다. 또 하나 장난감 정리를 잘하는 아이로 가르치기 위해 "장난감 정리해야지, 너는 왜 장난감

정리를 안 하는 거야?"라고 따라다니면서 정리는 엄마가 해주고 있는 것은 아닌지 생각해 봐라. 그렇다면 아이는 잔소리만 들은 것이 된다. 잔소리만 들었을 뿐 정리하는 뇌가 만들어진 것은 아니다."

방송을 들으며 고등학생 아들의 방이 눈앞에 펼쳐졌다. 일하는 엄마로 늦둥이 아들을 키우며 아들이 스스로 정리하도록 하기보다 해주는 것이 훨씬 빠르고 간단했다. 이론으로는 알고 있었으나 내 삶의 실제는 이론과는 다른 태도가 있었다. 당연히 해야 할 것을 하지 않은 아들에게 화를 내고 잔소리한 것이 오히려 미안했다. 이제 영유아기 자녀를 키우는 부모님들께 나의 오류를 범하게 하고 싶지 않다.

방송은 계속되고 있다.

"한 가지씩 정해보자고. 내가 놀던 장난감 정리 정돈하는 것, 한 가지만이라도 습관이 되면 나중에 공부까지 잘하게 되고 엄마의 잔소리는 반 이상 줄어들게 된다."

그래 지금부터 하면 되는 것이다. 우리 부모님들은 영유아기의 자녀를 키우고 있으니 충분히 희망이 있는 것이다. 우리나라 속담 중에 "세 살 버릇 여든 간다."는 말이 있다. 어렸을 때 좋은 습관을 들여놓으면 금상첨화인데 그 시기를 놓치고 좋은 습관을 다시 만들려면 많은 노력을 해야 한다.

"인생의 지혜는 상아탑 꼭대기가 아닌 유치원의 모래성 속에 있다."

〈로버트풀컴〉

우리 어린이집의 졸업식은 짧게는 1년, 길게는 5년을 다닌 아이들이 조금 더 큰 사회로의 출발을 시작하는 자리이다. 이제는 마음이 단련될 만큼 긴 시간을 지내왔건만 언제나 내 마음은 교사로서 처음 졸업을 시키던 그 시간, 처음 원장이 되어 졸업생 환송사를 하던 그 시간으로 곧 이동한다. 제법 의젓한 모습으로 졸업가운을 입고 앉은 아이들의 모습은 기특함과 대견함, 뿌듯함, 약간의 염려 등 만감이 교차되어 나와 우리 교사들은 가슴이 뭉클하여 눈물이 나는데, 아이들은 마냥 즐겁고 상기된 표정이다. '그래서 더 예쁘고 귀하고 사랑스럽다.'

이솝우화 '사자와 소의 사랑' 이야기로 졸업 환송사를 시작한다.

사자와 소의 사랑(이솝우화)

사자와 소는 첫눈에 반하여 사랑에 빠지게 됩니다.
둘은 너무나 사랑을 하였으며,
매일 소는 사자를 위해 신선한 풀을 뜯어 사자에게 주었으며
사자는 소를 위해 신선한 고기를 식기 전에 가져다주었습니다.
그러나 소와 사자는 눈앞에 풀과 고기를 보며 서로를 이해할 수가
없었습니다.
왜냐면, 서로를 위해 한 행동들이 뜻밖의 결과를 가져왔기 때문입니다.
그리고 결국, 서로를 이해하지 못하고 헤어지게 됩니다.
헤어지던 날, 소와 사자의 마지막 말은 같았습니다.
"난 당신에게 최선을 다했어요."

'최선을 다했다는 것으로 되는 걸까? 진정 우리 아이를 위한 부모의 사랑은 어떤 것일까?'

이제 우리 꿈둥이들은 이 자리를 떠나 새로운 시작을 하며,
자신이 무엇을 잘할 수 있는지, 또 무엇을 해야 하는지를
스스로 발견하고 선택해야 하는 어려운 일을 겪게 될 것입니다.
내 소중한 자녀의 또 다른 시작에 서 계신 부모님들께 당부드리고 싶습니다.
아이를 위한 선택의 순간에 조급하게 서두르지 마시고,
세상의 보이는 것에 내 아이를 비교하지 마시고 내 아이를 잘 보아주시기 바랍니다.
내 아이가 무엇을 생각하고 있는지,
무엇을 좋아하고 있는지,
무엇을 원하고 있는지를…

내 아이를 앞장세워서 등을 떠밀 것이 아니라
때로는 앞에서,
때로는 뒤에서,
때로는 함께 손을 잡고 옆에서
힘이 되어 줄 수 있는 인내심과 믿음으로 지켜봐 주시길 부탁드립니다.
아이는 부모의 믿음만큼 큰다고 합니다.
아이를 향한 큰 꿈을 그리시며 똑똑한 아이보다는 바른 아이로
아이에게는 언제나 돌아와 쉴 수 있는 큰 쉼터가 될 수 있는 부모님들
되시기 바랍니다.

부모님의 격려와 믿음은 분명 우리 아이가 역곡하나어린이집에서의 생활을 밑거름으로 하여 지혜롭고, 씩씩하게 해낼 수 있는 아이로 자랄 것이라 믿습니다.

가장 중요한 영·유아기를 함께 한 친구들입니다.
서로 말하지 않아도
눈 맞춤하며 한 번 웃어주고,
꼭 안아주는 것만으로도 서로의 마음을 다 아는 사이가 되었습니다.
'본 것'과 '안 본 것', '좋다'와 '나쁘다'를 분명히 할 줄 아는 친구들,
친구의 이야기를 끝까지 들어줄 줄 아는 멋진 친구들,
각자의 생각을 분명하게 이야기하고 자기를 주장할 줄 아는 가능성의 친구들입니다.

이제부터 우리 아이들에게 어린이집에서 배운 기본생활을 가정에서도 한 가지씩 실천하여 좋은 습관을 갖도록 하자. 좋은 습관을 갖게 된 우리 아이는 스스로 할 수 있는 주도적인 아이로 성장하여 결국 해내는 멋진 아이로, 행복한 어른으로 성장할 것이다.

"멋지게 성장한 우리 역곡하나어린이집의 졸업생들이
이 나라의 희망이고 빛이 되기를 기대한다."

우리 아이의 자존감은 변할 수 있다

교사 시절, 12월 성탄절을 앞두고 어린이집에서는 교육 발표회라는 제목으로 부모님들께 1년의 활동을 다양한 노래와 춤, 동극 등을 준비하여 부모님과 온 가족 앞에서 발표했었다. 그해에도 우리 교사들과 아이들은 최선을 다해 그날의 무대를 의미 있게 준비하고 아이들에게 자신감을 가질 수 있는 기회를 주려고 했었다.

성공의 경험을 갖게 하고 싶었다. 다섯 살의 성욱이는 엄마 아빠는 당연했고 친가와 외가의 할아버지 할머니, 고모들까지 대가족이 모두 참석하여 무대에 오른 성욱이를 응원하려 기다리고 있었다. 그러나 성욱이는 무대에 올라와 많은 사람들이 모여있는 객석을 한번 보고는 무대 커튼을 부여잡고 더 이상 아무것도 하지 않았을 뿐 아니라 커튼을 계속 잡아당겨서 뒤의 환경이 떨어지는 상황까지 만들었다. 괜찮다고, 그럴 수도 있다고 여러 차례 설명하여 어른들의 마음은 이해시켰지만, 그해에 다섯 살 성욱이에게 다시 성공해 보는 경험을 줄 수 없었던 것은 아쉬움으로 남았다.

동·동·동 축제

"안녕하세요? 사랑합니다!" 우리 어린이집의 인사말이다.

1년 과정을 마무리하며 발표회를 준비할 때면 이제는 어엿한 성인이 되었을 성욱이가 생각난다. 우리 아이들에게 발표를 통해 자신감과 성취감을 갖는 소중한 경험으로 '난 할 수 있는 사람'이라는 자존감을 키워줘야 한다는 책임감이 내 마음에 가장 크게 자리하고 있다.

발표 전 기본적인 자기소개는

"안녕하세요? 사랑합니다. 저는 OO반 OOO입니다. 제가 발표할 내용은 ~~~입니다."

이렇게 진행하는 발표회는 1년의 시간을 마무리하기 전 매년 12월이 되면 우리 어린이집에서 동.동.동 축제로 1주일간 열린다. 부모님들의 욕구는 화려한 조명과 무대에서 할아버지, 할머니 온 가족 앞에서 예쁜 옷을 입은 모습으로 발표하는 모습을 기대하기도 한다.

어떤 형태로 진행되어도 교육적 가치는 충분히 있다. 그러나 우리 어린이집에서는 우리 아이들에게 무대에 올라서 스스로 성공해 보는 경험을 선택한 것이다. 처음 무대에 서며 긴장하고 쑥스러워 발표하기 힘들었던 친구들도 원에서 1주일간 준비되어 있는 무대이기에 다시 또 도전해 볼 수 있도록 격려와 지지를 받아 결국에는 성공하는 경험으로 자신감을 갖고 마무리하게 되는 것이다. 이렇게 작은 성공에 엄청난 환호와 격려로 생긴 자신감을 통해 얻은 용기는 또다시 해볼 수 있고 새로운 상황에도 도전하는 아이가 되는 것이다. 스스로 '난 해냈어. 할 수 있어'라는 자존감을 형성하게 되는 것이다. 그동안 우리 어린이집은 조금 다른 형태의 발표회를 진행하며, 늘 뿌듯함으로 마무리한다.

어린이집에 다니는 영유아기는 자존감이 형성되어가는 시기이지 완성되는 시기는 아니다. 아이의 자신감이나 자존감이 외부 자극에 흔들리지 않도록 하는 것이 중요하다. 영·유아기의 긍정적인 경험은 자존감 형성의 발판이 되지만, 이후 주변 상황에 따라 자존감이 높아지기도 하고 낮아지기도 한다. 따라서 영유아기의 아이들에게 긍정적인 반응을 보이고 공감을 보여주는 행동은 자존감이 굳건하고, 탄탄하게 다져졌다고 보일 때까지 꾸준히 지속해야 한다.

자존감의 스위치를 켜라

"건물을 세우기 위해 가장 먼저 해야 할 일은 땅을 평평하게 만드는 것이다. 자존감이란 바로 그 평평한 상태라 말할 수 있다. 높고 근사한 건물은 단단한 자존감 위해 세워지는 것."이라고 「66일 자존감 대화법」에서 김종원 저자는 말하고 있다.

★아이의 평생 자존감을 결정하는 부모의 9가지 말★
-66일 자존감 대화법 중에서-

하나, *"다른 사람들의 좋은 평가도 필요해. 하지만 스스로 만족하고 기쁨을 느끼는 것도 중요하단다."*

둘, *"언제나 실천이 기적이자, 최고의 마법이지!"*

셋, *"화가 나면 마음껏 울고 행복하면 활짝 웃는 거야. 자기감정에 솔직한 사람이 되자."*

넷, *"너는 무엇이든지 할 수 있는 아이야. 너무 조급하게 생각하지 말자."*

다섯, *"남들에게 예의 바르게 행동하는 것도 중요해. 하지만 자신을 대*

접하는 방법을 알아야 다른 사람도 마음을 다해 대할 수 있어."

여섯, "차분하게 생각하면 세상에 풀리지 않는 문제는 없단다."

일곱, "좋은 결과가 행복의 열쇠가 아니라, 좋은 과정이 행복의 열쇠란다. 네가 좋았다면 그게 가장 좋은 결과야."

여덟, "너만 포기하지 않으면, 다시 좋은 기회를 잡을 수 있어."

아홉, "세상에는 죽이나 빵처럼 쉽게 넘길 수 있는 음식도 있지만, 고기나 오징어처럼 꼭꼭 씹어야만 하는 음식도 있어. 네가 부족한 게 아니야. 다만 시간이 조금 더 필요했을 뿐이지."

부모의 말은 아이에게 줄 수 있는 최고의 유산입니다.

물이 끓기 위해서는 반드시 마지막 1℃가 필요하다. 등산은 9부 능선에 올랐을 때가 가장 힘들다고 한다. 마지막 1℃를 높이고 어떤 바람에도 흔들리지 않는 견고하고 튼실한 내 아이의 자존감을 세우고 싶다면, 이제 그 하루를 시작하자!

사랑하고 또 사랑하라

무조건적이고 진정한 사랑을 받은 사람은 사랑스럽게 성장한다.

'사랑받을 만해야 사랑하지!' 오히려 상대를 비난하는 사람은 자신을 향한 사랑도 늘 미루고 있는 것은 아닌지 살펴봐야 한다. 사랑받고 싶으면서도 '나는 사랑받을 만한 사람인가?'에 확신이 없어서 자기를 사랑하는 것조차 미루고 있을 수도 있다.

사랑받을 만해서 사랑하는 것은 누구나 다 할 수 있는 것이다.

부모인 나는 내 아이에게 우선적으로 '조건 없는 사랑'을 함으로써 '사랑받을 만한 사람'으로 키워야 한다. 부모인 나 스스로에게도 현재 상황과 조건이 아니라 지금 모습 그대로를 안아주고 사랑하여 '사랑받을 만한 나로 만들어가자.

혹여 '사랑받을 만한 내'가 아니어도 괜찮다.

'소중하고 귀한 나 ○○○'을 거울을 보며 진심으로 이야기해 보자

우리 아이를 진심으로 '소중하고 귀한 우리 아들(딸) ○○○' 하며 안아줄 수 있게 될 것이다.

사랑하고 또 사랑하는 가정에서 자라나는 자녀들의 자존감은 언제나 UP!

가치를 가르치고 자존감을 키워라

"가치를 가르치면 어떤 경우에도 아이는 바로 선다. 부모가 모델이 되어 삶의 기본 가치인 '정직과 성실' '기여와 배려'를 가르쳐라. 자녀들은 부모의 살아가는 모습에서 기본 가치를 배워가며 진실되고 최선을 다하는 아이로, 함께 더불어 발전하며 살아가는 사회에 필요한 사람으로 성장할 것이다."라고 존스 홉킨스 의과대학 소아정신과의 한국인 최초 의사인 지나영 교수는 말한다.

결국 해내는 아이는 정서지능이 다르다고 한다. 나의 감정을 알고 바르게 표현하기, 다른 사람의 감정과 상황을 이해하고, 서로 협력하는 사회성 좋은 아이를 키우는 것이 무엇보다도 중요하다. 다양한 감정에 대하여 알고, 적절하게 표현하도록 하는 것은 배워가는 것이다. 올바른 사회●정서 교육을 통해 자존감 높은 아이로 키워가는 것은 부모가 매일 실천해야 할 일 중의 하나이다.

어린이집의 교육과정을 계획하고 진행하며 우리 아이들에게 이 시기에 반드시 경험하고 알려줘야 할 것이 무엇인가를, 깊게 고민하며, 새롭게 시작하는 시간에는 늘 기대와 희망으로 시작한다. 우리 어린이집에서의 시간은 눈에 보이는 교육과정에 국한되지 않고, 삶과 생활 속 자연스러운 상황에서 주입식이 아닌 오감을 통한 가치를 배우게 된다. 그 결과는 오늘을 행복하게 지내며 미래에 역량 있는, 결국 해내는 아이로 성장할 것이다.

아이를 웃게 만드는 존중의 말 3가지.

초등학교 교사인 윤지영 저자는 「엄마의 말 연습」과 「초등 자존감 수업」에서 엄마의 다정한 말은 아이를 안심시키고, 인정하는 말은 자존감을 키워주고, 긍정하는 말은 밝고 당당하게 살아갈 힘을 준다고 하며,

"엄마의 말은 순간이지만, 아이의 가슴에는 평생 남는다."

"부모가 어제까지 준 말의 합이 바로 아이의 오늘입니다"라고 한다.

우리 역곡하나어린이집 부모님들도 일상생활에서 존중의 말 3가지(다정한 말, 인정의 말, 긍정의 말)를 잘 실천하여 부모의 사랑하는 마음을 온전히 전함으로 자존감 높은 아이로 키워서, 행복한 아이의 행복한 부모가 되기를 바란다.

약점에서 강점 찾기

똑똑한 엄마는 약점에서 강점을 찾는다. 아이들뿐 아니라 모든 사람들의 행동은 보는 관점과 상황에 따라 다르게 해석된다. 예를 들면 느린 아이는 신중하다고 생각할 수 있고, 산만하게 뛰어다니는 아이는 호기심이 많은 것으로 등 상황과 관점에 따라 긍정적인 말로 표현하게 되면 자신을 가치 있는 사람으로 생각하게 된다.

사랑하는 우리 아이를 위해 약점에서 강점을 찾는 연습을 하자

비교하지 않는 습관

아이들은 유일무이한 존재로 태어난다. 그러나 우리 아이들은 조금만 자라도 어른들이 아무렇지도 않게 내뱉는 비교하는 말에 상처받으며 살아간다. 영유아기 때 실수를 인정받고 실패에서 성공하는 경험이 쌓여야 성인이 되어서도 극복할 수 있는 힘이 생긴다. 이것이 자존감이고 긍정의 힘인 것이다. 주변의 부정적인 평가와 비교에 흔들리지 말고 소중한 내 아이를 어른의 기준에서 틀림이 아닌 다르게 보는 용기 있는 부모가 되기를 바란다.

내 아이만의 고유한 매력에 빠져들어 곧 행복한 부모가 될 것이다.

"역곡하나어린이집의 아이들과 부모,
선생님들의 자존감 스위치는
언제나 ON!"

손 정 미

ssjmm1215@hanmail.net

국공립대학어린이집 원장

서울신학대학교 일반대학원 보육학과 석사

서울신학대학교 일반대학원 사회복지학과 박사 수료

유아교육 경력 30년

놀이교육 대학 출강

부천시육아종합지원센터 부모교육 강사

인천효행장려센터 효인성 전문강사

"아이들을 자연으로 내보내라.
언덕 위와 들에서 아이들을 가르쳐라."

-Johann Heinrich Pestalozzi

유아교육,
자연과 놀이가 답이다

존재만으로도 가슴 벅찬 자녀,
자녀의 행복을 위해 아빠도 자녀의 놀이에 집중하면
기적이 시작된다.

자연을 벗 삼은
아이들의 웃음

아이들은 자연을 좋아해

"교육이란, 아이의 씨앗을 자라나게 해주는 것이다."

〈칼릴 지브란〉

어린이집의 3월은 다양한 모습이 펼쳐진다. 우선 낯선 환경에 대한 두려운 아이들의 안쓰러운 모습이 있다. 부모는 가정이라는 온실에서 키우다가 노지에 내놓은 화초가 몸살을 앓을까 염려하는 것처럼 어린이집에 보내면서 불안해하는 경우도 있다. 눈에 넣어도 아프지 않은 소중한 아이를 보내며 불안한 것은 당연할 수도 있다. 낯설어하는 아이들을 적응시키느라 온종일 애쓰는 선생님들을 보면서 미안하고 고맙고 안쓰럽기도 하다.

그렇게 3월이 지나며 대지의 동면을 깨고 생명들이 움트기 시작한다. 이때쯤부터 대학어린이집의 아이들은 숲과 잔디밭으로 나가서 자연과 사귀기 시작한다. 이때도 특별한 상황이 발견된다. 아이들은 무조건 자연을 좋아하는 줄 알았는데 자연을 낯설어하는 아이들이 꽤나 많다. 모래놀이터의 모래가 묻을까 봐 교사의 품에 안겨 발을 감추는 아이들도 있고, 개미나 공벌레 등조차도 무서워서 피하는 아이들도 있고, 잔디밭에 발을 내딛는 것을 거부하는 아이들도 있다.

그런 과정을 거치며 4월이 되면 봄은 활짝 피어나고 아이들은 모래에 발을 묻고 놀기도 하고 개미와 공 벌레를 찾아 잔디밭을 샅샅이 뒤지기도 하는 모습들로 변해간다. 자연과 벗 삼아 노는 아이들의 웃음소리는 봄꽃 향기보다도 더 멀리 소사동 일대를 물들이며 퍼져나갈 때 나 또한 미소가 절로 난다.

태초에 조물주께서 자연을 만드시고 보시기 심히 좋아하셨고 흙으로 사람을 지으시고 자연을 다스리게 하셨다. 그런 이유에서일지 아이들은 자연을 참 좋아하고 자연과 교감하는 능력이 뛰어나다. 아이들이 숲이나 자연 속에서 모든 계절과 날씨를 지속적으로 즐길 수 있도록 어른들은 도와야 한다. 아이들은 자연과 교감하고 스스로 자유롭게 놀면서 몸 · 마음 · 영혼이 행복한 사람 그리고 생명을 사랑하는 사람이 되어간다.

숲으로 향하는 아이들의 재잘거림 속에서 공 벌레들은 몸을 빠르게 숨기고, 개미들은 덩달아 부지런해진다. 비탈길을 오를 때면 아이들의 몸을 건강하게 만드는 거친 소리가 들리고 이마에는 송골송골 땀방울이 맺히기도 한다. 가는 도중에 만나는 예쁜 자연물을 주워서 숲 문지기인 나무 아래 가지런히 놓아주며 "입장료입니다."라고 말하고는 숲으로 들어간다. 그리고는 숲속에서 해먹 타고 숲 사이로 얼굴 내민 파란 하늘을 만나고, 나뭇가지를 모아다가 인디언 집을 만들고 그 속에서 소꿉놀이도 하고, 함께 소풍 나온 개미집을 지어주느라 바빠지기도 한다. 자연과 하나가 되어 노는 아이들 사이에서는 실내에서 놀이 중에 볼 수 있는 갈등 상황은 찾아볼 수가 없다. 제한된 놀잇감 다툼, 정형화된 놀잇감들이 있는 실내놀이보다 자연물들의 수도 많고 비정형화되어 있는 자연물들은 아이들의 흥미를 일으키는 데 적합한 환경이다.

1시간 이상 자연과 어울려 노는 아이들의 모습 속에서 봄꽃보다 훨씬 아름다운 인 꽃을 발견하게 된다. "얘들아, 이제 어린이집으로 돌아갈 시간이야."라는 교사의 말에 충분히 놀이를 한 아이들은 훌훌 털고 일어나서 이내 숲을 빠져나온다. 이러한 아이들의 모습은 실내 놀이에서 놀이 종료를 알리고 놀잇감을 제자리에 놓기를 명령하는 교사의 소리를 듣고, 더 놀고 싶어 아쉬워하고 치우기 힘들어하는 아이들의 모습과는 사뭇 다르다.

그런데 현실은 지구의 온난화로 인해 황사, 미세먼지, 꽃가루 알레르기, 살인 진드기 등 개체수가 많아진 다양한 해충들의 습격 등으로 인해 아이들의 자연 속 놀이는 많은 제한을 받고 있다. 또한 청결에 대한 예민함이 높은 부모들의 불안함으로 인해 더욱 숲 놀이는 제한된다.

최근 산림청 국립산림과학원(원장 박현)은 위성 영상자료와 현장 관측자료를 심층 학습(deep learning)으로 분석한 결과, 서울 도심지보다 도시숲 지역의 초미세먼지 농도가 평균 16.4㎍/㎥ 낮다고 밝혔다. 도시숲의 평균 초미세먼지 수치는 22.3㎍/㎥으로 나타났으며, 이는 WHO의 야외 초미세먼지 권고기준인 25㎍/㎥보다 낮은 수치이다. 2월 기준으로 비교하면 도시숲은 17.9㎍/㎥, 도심지는 34.3㎍/㎥로 평균 초미세먼지 농도가 조사되었다. (2021. 3. 5. 환경신문) 습도와 기온의 차이도 숲이 더 낮아서 숲 밖의 환경보다 숲이 훨씬 좋다. 숲에 있는 먼지나 흙 속에 있는 미생물들은 좋은 세균이라고 밝혀졌다.

어른들은 아이들이 매일 숲으로 향할 수 있도록 도와주어야 한다. 아이들이 놀 수 있는 공터가 사라지고 시멘트로 뒤덮인 땅들, 넘쳐나는 정형화된 놀잇감들, 학습을 조장하는 멀티미디어 등으로 인해 아이들은 진정한 놀 권리를 잃고 말았다. 놀이 중에서 특히 자연과 함께 놀게 해준다면 아이의 성장 발달에 큰 도움이 된다. 시간이 되는대로 숲으로 아이와 함께 가자.

자연이 주는 이로움

우리나라의 현재 출생률은 0.78명이다. 결혼은 하였지만 자녀를 출산하지 않는 가정이 늘고 있다. 그러므로 자녀들은 가정의 금쪽같은 아이로 키우는 것이 당연한 현실이 되었다. 좋은 먹거리, 좋은 교육, 좋은 환경, 좋은 놀잇감, 좋은 경험 등 자녀에게 해줄 수 있는 것은 마다하지 않고 모두 주고 싶은 것이 부모뿐만 아니라 조부모님들의 마음이다. 또한 고모, 이모, 삼촌까지 한 아이를 둘러싼 성인은 무려 7~8명 정도나 된다. 아이는 성장하는 데 있어서 생활의 결핍을 느끼지 못하고 자란다. 부모는 이런 금쪽같은 자녀를 키우기 위해 적잖은 부담을 가지고 있다.

어느새 가정의 방 한 칸은 자녀의 놀잇감으로 가득 찰 것이다. 놀잇감은 아이들로 하여금 놀이에 대한 흥미를 유발시키고 놀이를 통하여 아이들은 자신의 느낌이나 생각을 표현하여 스스로 발달하고 성장하는 데 도움을 받는다. 각각의 놀잇감은 특정한 기술과 개념을 발달시키기 위한 목적으로 고안된다. 대표적인 놀잇감에는 레고 블록과 인형 옷입히기가 있다. 레고 블록은 아이들의 창의성과 인지적 활동을 증가시킨다는 목적이 있다. 인형 옷 입히기 놀이는 인형의 머리를 묶어주기도 하고 풀어 빗겨 주기도 하며 옷을 입히기 위해 단추를 잠갔다 풀었다 하면서 소근육을 증가시키기도 하고 인형과 소통하는 관계기술 능력도 향상시키는 목적이 있다. 놀잇감들이 가지고 있는 목적을 달성하기 위해서는 놀이에 몰입해야 한다. 그런데 아이들은 많은 놀잇감 속에서 한 가지 놀잇감에 몰입하여 놀면서 놀잇감의 목적을 달성하기가 어렵다. 놀잇감이 많으면 분주해지고 흥분하기 쉽다. 부모들은 자녀의 발달 단계에 따라 놀잇감을 범주화 시켜주고 발달에 맞는 놀잇감을 통해 성장을 도와야 한다.

자연은 태초부터 있는 모습 그대로를 유지하고 있다. 자연은 발달에 따라 사용되는 놀잇감이 따로 있지 않다. 자연은 놀잇감으로서의 목적을 가지고 있지도 않다. 종족을 번식하는 일에 충실하며 생명을 유지하기 위한 목적이 있을 뿐이다. 자연은 아이부터 어른 누구에게나 똑같은 모습으로 다가와 준다. 아이들은 하나의 생명체이다. 아이는 자연의 모든 생명체 중의 하나이다. 생명체는 자연에서 태어나서 자연 속에서 살다가 수명이 다하면 다시 자연으로 돌아가는 것이 순리이다. 이러한 원리에 따르면 아이는 자연과 교감하며 살아가야 하는 것이 진리이다.

지금 우리 아이들은 4차 산업시대의 인터넷 강국 아이들답게 가상공간에서 게임과 놀이를 즐기고 있다. 0세 아기도 부모의 핸드폰을 좋아한다. 18개월 정도인 아기는 엄마의 핸드폰을 손에 쥐고 노래 영상이나 동화 컨텐츠를 찾아서 볼 수 있다. 부모가 틀어주는 경로를 그대로 외워서 손놀림을 통해 원하는 영상을 시청하는 모습을 본 부모는 자녀가 천재일 수도 있다는 생각으로 행복해 한 경험이 있을 것이다. 아이들이 실내에 오래 머물러 있지 않도록 해야 한다. 아이들은 자연을 참 좋아한다. 자연에서 왔기 때문에 자연에 대한 익숙함이 본성 속에 있다. 자연은 아이들의 웃음과 창의성과 신체 발달, 사회성 발달, 언어 발달 등 다양한 발달을 돕는데 훌륭한 장소이다.

자연은 아이들에게 다음과 같은 이로움을 준다.

1. 놀이를 통해 아이다움을 되찾아 준다.

자연은 아이들이 가지고 태어난 기질대로 살아가도록 안아주는 엄마의 품과 같다. 자연은 흙, 물, 풀, 나무, 공기, 동물, 곤충, 사계절, 햇볕이다. 자연은 아이들의 놀이를 무궁무진 풍성하게 해준다. 자연은 아이들의 아이다움, 동심, 호기심을 통한 과학자적 소양을 일깨워준다.

2. 몸과 마음과 영혼을 치유해준다.

아이들을 포함한 거의 모든 현대인들은 몸과 마음과 영혼의 질환을 앓고 있다. 풍부한 먹거리 문화로 인해 몸에는 독소가 쌓이고, 마음에는 스트레스가 쌓이고, 영혼을 생각할 여유가 없어서 혼탁하기 때문에 생기는 질환이다. 자연은 몸의 독소를 제거하여 건강의 몸으로 되살리고, 마음의 스트레스를 해소하여 감성이 풍부한 마음으로 되살리고, 영혼이 물처럼 바람처럼 맑고 순수하고 청정한 영혼으로 되살려 준다.

3. 자유와 여유와 믿음을 준다.

자연은 아이들이 땅을 딛고 하늘을 이고 살아가는 천지인의 조화를 이루는 곳이다. 아이들은 자연에서 스스로 그리고 더불어 살아가는 능력을 기른다. 생명력을 가지고 살아가게 하기 위해서 아이들에게 자유와 여유 그리고 믿음을 주어야 한다. 자연은 아이들에게 충분한 시간적 여유와 공간적 여백을 주고 아이들의 능력에 대한 믿음을 가지고 품어준다.

4. 오감을 통한 놀이가 풍성하다.

영유아 시기는 오감을 통하여 뇌 발달이 이루어지는 시기이다. 아이들은 자연에서 맘껏 놀 수 있다. 비구조화적인 자연물은 놀잇감이 되어서 아이들의 호기심을 자극한다. 흙, 물, 돌, 나뭇가지, 꽃, 풀, 벌레 등은 아이들의 오감을 자극하기에 충분하다. 나무 위에 오르며 신체적 발달이 가능해지고 돌을 들어 올리며 힘의 원리를 경험하고 숨바꼭질 놀이를 통하여 공간적, 시간적 개념을 경험하게 된다. 자연물을 이용하여 멋진 집을 지어보며 미래에 건축가가 될 가능성을 경험하기도 한다.

5. 아이들은 숲에서 요정을 만난다.

아이들을 숲으로 끌어내기까지는 참 잘한 일이다. 하지만 숲을 만난 아이들의 관심은 버려둔 채 아이들에게 나무와 꽃과 벌레와 동물의 이름과 특성을 외우기를 강요하는 오류를 범할 때가 있다.

아이들은 숲에서 요정을 만나야 한다. 어른들은 아이들을 그대로 내버려두는 신뢰와 믿음이 필요하다. 아이들은 숲에서 나무 사이로 뻗어 내리는 빛을 발견하고 천사를 상상한다. 먹이를 물고 줄지어 이동하는 개미 떼를 보고 여왕개미를 만나고 숲속에 사는 요정을 만나면 선물로 건네줄 화관을 만들고 꽃반지를 만든다.

숲속에서 찾은 아이들의 행복

"아이들을 자연으로 내보내라. 언덕 위와 들에서 아이들을 가르쳐라. 그곳에서 아이들은 더욱 좋은 소리를 들을 것이고, 그때 가진 자유의 느낌은 아이들에게 어려움을 극복할 수 있는 힘을 줄 것이다."

⟨Johann Heinrich Pestalozzi⟩

나는 김포시 농촌 전원마을에서 태어나고 그곳에서 어린 시절을 보냈다. 가끔 나의 어린 시절을 떠올리며 내가 현재 자연을 좋아하고 자연과 소통하는 능력이 있는 이유를 확인한다. 유치원 시절부터 난 유난히도 자연을 좋아했다. 추운 겨울이 지나고 대지가 동면에서 기지개를 켜기 시작할 때부터 일찍 일어나 낙엽으로 뒤덮인 나의 작은 화단을 정리하기 위해 몸과 마음이 바빠졌다. 겨울 동안 모아 놓은 요쿠르트병, 빈 음료수병, 캔 등으로 화단 울타리를 만들고 낙엽을 치웠다. 낙엽 속에서 대지를 뚫고 고개를 내민 새싹들을 만나는 순간의 경이로움은 나의 심연 속에 아름답게 자리 잡고 있다. 백합, 국화, 다알리아, 수선화, 히야신스, 옥잠화 등 그들의 새싹을 만나기 위해 나는 손이 꽁꽁 어는 것도 잊은 채 화단을 방처럼 깨끗이 치웠던 기억이 날 매일 자연으로 끌어낸다.

유아교육에는 다양한 교육과 보육이 있다. 그중에 우리 어린이집이 중요하게 생각하고 날마다 진행하는 숲속에서 행복을 찾고 꿈을 꾸는 아이들의 모습을 부모들에게 전하며 가정에서도 주말이면 함께 하기를 소망하며 안내한다.

아이들은 1주일에 2일은 숲으로 여행을 떠난다. 숲에 가는 날이면 편안한 옷과 운동화 그리고 숲에서 마실 물과 야채스틱을 챙겨서 등원한다. 원에 온 아이들은 간식을 먹고 등원한 복장 위에 숲 바지를 챙겨 입고 숲으로 향한다. 어느 날은 긴 숲을 계획하여 시흥 넘어가는 구름다리까지 간다. 아이들은 구름다리까지 숨을 헐떡이면서도 포기하지 않고 걷는다. 구름다리 건너에 있는 공터에서 삼삼오오 짝을 지어 논다. 땅을 파며 노는 아이들, 땅따먹기 놀이를 하는 아이들, 체력단련 운동기구에 매달려 노는 아이들 모두가 이내 행복을 경험한다.

또 어느 날은 성주산 정상을 목표로 정하고 오른다. 가다가 지친 아이들과 교사는 중간 지점에서 쉬기로 하고 정상을 오르기 원하는 아이들은 나와 함께 정상을 오른다. 성주산은 옛 이름이 와우산이라고 한다는 사전지식이 있는 아이들은 성주산 정상에 오르자마자 소가 누워있는 모습이 어디인지 찾기 시작한다. 정상에서도 여전히 줄지어 떠나는 개미 떼에 관심이 있는 아이들, 정자에 앉아 물과 야채스틱을 먹으며 시원한 바람을 느끼는 아이들에게서 행복을 찾을 수 있다.

어느 날은 숲 교실로 향한다. 숲으로 가는 길에서 아이들은 숲 문지기에게 줄 입장료를 준비한다. 꽃 한 송이를 꺾고 나뭇잎 두 장을 따서 코사지를 만든 아이, 풍성한 꽃 부케를 만들어 준비하는 아이, 예쁜 돌, 나뭇

가지 등 자연물을 준비하여 숲 입구에 도착한 아이들은 숲 문지기인 나무에게 입장료를 내려놓으면서 "숲에 입장합니다."라고 말한다. 숲 문지기는 숲 입구에 서 있는 산수유나무다. 숲에 입장한 아이들은 이내 숲 교실을 향하여 오른다. 숲 교실에 도착한 아이들은 해먹을 타고 놀기도 하고, 밧줄로 만든 다리를 건너며 자신의 몸을 균형 잡느라 바쁘다. 인디언 집에서 소꿉놀이를 하는 아이들, 태풍에 쓰러진 커다란 아까시나무를 타고 건너가는 아이들, 자연물 밥상을 차려 놓고 파티를 하는 아이들, 집라인과 그네를 타는 아이들 등 자유를 만끽하는 아이들의 모습은 함박웃음과 함께 행복이 피어난다.

7살 어린이가 창작한 동화책을 소개하고 싶다.

『옛날 자연을 좋아하는 공주가 살았어요. 공주는 성에서 놀다가 자연을 보고 싶어서 성주산으로 갔어요. 공주는 성주산에서 해먹을 타면서 쉬고 있었어요. '오늘은 산에서 자고 가야겠다.' 공주가 자는 동안 요정이 나타났어요. 그런데 자연의 요정이 마법을 부렸어요. "자연을 더 사랑하게 해줄게." 다음 날이에요. 공주는 성으로 돌아갔어요. 요정의 마법 덕분에 자연을 더욱 사랑하는 공주가 되었답니다.』

숲을 사랑하는 아이의 정서와 창의성이 그대로 보이지 않는가? 이렇게 감수성이 크고 맑고 밝은 생각을 가진 어른의 모습으로 성장한 어른은 찾아보기 어려울 것이다. 페스탈로찌의 말처럼 아이들을 자연으로 내보내길 바란다. 그곳에서 아이들은 더욱 좋은 소리를 들을 것이고, 그때 가진 자유의 느낌은 아이들에게 어려움을 극복할 수 있는 힘을 줄 것이다. 어른은 그저 자연을 조용히 산보하는 사람에 지나지 않음을 기억하고 실천하자. 아이들이 걸음을 멈추면 바로 그때 새의 지저귐이나 나뭇잎 위의 곤충의 노래를 듣게 될 것이다. 나무와 새와 곤충이 아이들을 가르치게 될 때 어른은 조용히 있자.

유아교육을 한지 30년을 돌아보면 자연만큼 좋은 교구는 없다. 마음만 먹으면 얼마든지 갈 수 있는 가까운 곳에 자연이 있다. 자연 속에서 아이들을 키운다면 창의력과 정서발달에 큰 도움을 주어 몸과 마음이 건강하게 자랄 것이다.

놀이 속
아이들의 웃음

나는 놀이하면서 배워요(Just Playig)

-Anita Wadiey-

블록을 가지고 무언가를 만들고 있을 때
"놀기만 하는구나"하고 말하지 마세요.
나는 즐거운 놀이를 통해 배우고 있답니다.
균형과 여러 모양에 대해서요.
누가 알아요, 내가 커서 건축가가 될는지….

혼자 의자에 앉아 아무도 없는 곳을 향해 책을 읽을 때
웃으면서 속으로 '혼자서 놀고 있구나'라고 생각하지 마세요.
나는 즐거운 놀이를 통해 배우고 있답니다.

누가 알아요, 내가 커서 선생님이 될는지…

"오늘 뭐 했어?"라고 물었을 때 "재밌게 놀았어요."
라고 대답한다고 실망하지 마세요.
나는 놀이를 통해 배우고 있답니다.
즐겁게 행복하게 끝까지 해나가는 걸.
저는 지금 평생 필요한 걸 배우는 거랍니다.

지금 이 순간 나는 '어린이'이고
내게 가장 필요하고 가치 있는 것은 바로 '놀이'랍니다.

아이들은 놀 권리가 있다. 만 1세의 아이는 대략 천억 개의 뇌세포를 가지고 있다고 한다. 각각의 뇌세포는 최소한 1,000개의 다른 세포와 연결되는데 오감을 통해서 탐색하고, 만지고, 보고, 맛보고, 떨어뜨려 보고, 던지고, 뛰는 동안 이 연결들이 형성된다고 한다. 또한 과학 카페에서 제공한 연구보고서(유아기 뇌에 관한 보고서)에 의하면 유아의 뇌는 즐거운 것만 기억한다고 한다. 잘 노는 것만큼 훌륭한 학습은 없다. 노는 것이야말로 아이들이 제일 잘할 수 있고, 세상에서 최고로 즐겁고 재미난 놀이다. 그리고 유아기에 누릴 수 있는 권리이자 특권이 놀이이다. 그런데 요즘 아이들은 완전하게 놀이에만 집중할 수가 없다. 조기교육의 열풍으로 인해 아이들은 놀 기회를 많이 얻지 못한다.

국가에서는 교육과정으로 놀이 중심, 영유아 중심의 놀이를 규정하고 있고, 모든 아이들이 동일한 교육 선상에서 출발하는 것을 원칙으로 모든 영유아의 교육비를 무상으로 지원하고 있다. 무상으로 교육비가 국가에서 지원된 시점부터 영유아의 조기교육은 더욱 열풍을 일으키고 있다. 한글, 수학, 영어, 예체능 등 놀이가 아닌 배움을 선택하는 부모들이 많음이 안타까운 현실이다. 놀이의 중요성에 대해서 부모들을 설득해야 할 필요성을 통감한다.

아파도 노는 아이들

아이들은 아파도 놀고 싶어 한다. 몸이 아파서 힘이 들어도 손에 놀잇감을 쥐고 있고 탐색하기 바쁘다. 아이들은 졸음이 와도 잠을 안 자려고 감기는 눈꺼풀을 막으려고 안간힘을 쓰는 모습이 귀엽기까지 하다.

몸이 아파도 놀기를 원하는 아이들을 보면서 고전적 놀이 이론 중 인간은 생존을 위해 사용할 일정한 에너지를 보유하고 있는데 에너지가 사용되지 않으면 어떤 식으로든 방출되어야 하고 아동은 사용되지 않은 에너지를 놀이하면서 방출하게 된다는 잉여에너지 이론(Schiler, 1875)과 놀이는 본능적인 연습 행동으로서 이후 성인기에 유용하게 사용하게 될 기술을 준비하는 연습의 기회로 삼는다는 연습이론(Groos(1901)에 근거를 둔다. 아이들은 성인처럼 에너지를 사용하여 일을 하지 않기에 보유하고 있는 잉여에너지를 사용하기 위해 끊임없이 몸을 움직여 놀고 싶어 한다. 또한 뇌세포 연결을 위해 탐색하고, 만지고 움직이며 놀이한다. 아이들의 놀이 속을 들여다보면 그곳에 아빠가 있고, 엄마가 있고, 여행이 있고 행복이 있고 여러 가지 직업이 있다. 아이들은 놀이를 통하여 미래 사회를 준비하는 것이다.

요한 호이징하(Johan Huizinga, 1872~1945)가 1938년에 출간한 『호모 루덴스(Hono Ludens)』에서 놀이는 문화의 한 요소가 아니라 문화 그 자체가 놀이의 성격을 가지고 있다고 역설했다. 인간의 '놀이'는 본능과도 같으며 문화를 만드는 기초이다. 특히 아이들에게 놀이는 삶 그 자체인 것이다.

아이들에게 있어서 놀이와 일의 특성은 연속선상에 있다. 일과 놀이를 구분하기가 어렵지만 놀이는 능동적이고 자발적이며 재미있고 과정 중심적인 반면 일은 수동적이며 강요적이고 단조롭고 외부로부터 요구되는 규칙이 있다는 점에서 대조적인 성격을 갖는다.

어린이집 하루 일과 중에서 아이들이 제일 좋아하는 시간은 자유놀이 시간이다. 교사 주도적인 대집단 활동을 하거나 발표회 준비, 특별활동 시간에 아이들은 자주 "선생님, 힘들어요. 우리 언제 놀아요?"라고 말한다. 하지만 자유 놀이 시간이 아무리 길어도 "선생님, 힘들어요. 그만 놀래요." 라고 말하는 아이는 없다. 가정에서도 마찬가지일 것이다. 하루 종일 놀던 자녀로부터 "아빠, 나 힘들어요. 그만 놀래요."라고 말하는 자녀는 없을 것이다. 열이 나고 아파도 놀려고 하는 모습이 안쓰러워 부모가 그만 놀기를 권유했을 것이다. 아이들은 진정한 놀이를 통해서 신체 및 운동발달, 인지 발달, 언어발달, 사회성발달, 창의성발달들이 통합적으로 일어난다.

부모들은 모두 자녀들이 잘 놀면서 자라기를 바라는 마음일 것이다. 자녀가 행복하기를 바랄 것이다. 하지만 자녀에게 잘 놀 수 있는 놀이 환경을 준비한다고 하면서 학습지 활동, 미술 활동, 수학 활동 등 외부에 의한 인지학습을 위한 환경을 마련해 주는 모습이 많이 있다. 이러한 활동들은 아이들 주도적인 놀이라고 할 수 없다.

예를 들어서 설명해 보겠다. 어린이집 만 5세반 담임이 봄이 되어서 화분을 준비하여 교실에서 함께 화초를 키워 보자고 제안한다. 이 제안을 A 교사는 "얘들아, 이제 봄이 되었어요. 선생님이 화분을 교실에 데려왔어요. 봄에는 새싹도 나고 꽃도 피고 식물들이 잘 자라는 계절이니 우리가 이 화분을 잘 키워 보자. 너희들이 어린이집에 일찍 와서 물도 주고, 먼지도 닦아주고, 햇볕도 쏘여 주고, 사랑한다고 말해주면 식물이 잘 자랄 수 있을 거야"라고 했고, B 교사는 "얘들아, 이제 봄이 되었어요. 선생님이 화분을 교실에 데려왔어요. 봄에는 새싹도 나고 꽃도 피고 식물들이 잘 자라는 계절이니 우리가 이 화분을 잘 키워 보자. 너희들 중에서 어린이집에 일찍 와서 물도 주고, 먼지도 닦아주고, 햇볕도 쏘여 주고, 사랑한다고 말해주면 선생님이 스티커를 붙여 줄 거야. 그리고 스티커를 가장 많이 모은 친구에게는 선물을 줄 거야."라고 했다. 아이들이 선생님 제안을 듣고 식물에 관심을 가지고 물도 주고, 먼지도 닦아주고, 햇볕도 쏘여 주고, 사랑한다고 말해주었다.

어떤 교사의 제안이 아이들에게 놀이가 될 수 있을까? 물론 부모님들은 A 선생님이라고 대답할 것이다. A 교사의 제안을 듣고 행동하는 아이들은 식물에 물을 주고 먼지를 닦아주고, 햇볕도 쏘여 주고, 사랑한다고 말해주는 그 자체가 목적이 되어서 식물이 성장하는 것에 몰입할 것이다. 하지만 B 교사의 제안을 듣고 행동하는 아이들은 식물에 물을 주고 먼지를 닦아주고, 햇볕도 쏘여 주고, 사랑한다고 말해주는 것이 목적이 아니고 스티커를 모아서 선물을 받는 것이 목적이 된다. 식물에 주는 관심보다 선물을 받기 위해 스티커를 모으는 목적이 더 클 것이다. 이러한 목적을 위한 행동에는 몰입한다고 표현하기 어렵다. 부모님들 중에는 "아뿔싸!"라고 무릎을 치시는 분들이 많을 것이다. 아이들이 행복하고 전인적인 발달을 위해서 진정한 놀이가 필수이다.

놀이 속에서 피어나는 상상력

"아이들이 병들었다면 그것은 마음껏 놀지 못한 것에 대한 복수이다."

〈에리히 프롬〉

인간에게는 출생과 동시에 소유하게 되는 자연법적 권리가 있다. 성인에게 주어지는 이 권리가 아이들에게 그대로 적용되나, 아이들은 아직 스스로 생존하고 보호할 수 없으므로 보호와 양육을 받아야 할 권리가 추가된다. 제1차 세계대전 이후 아동 권리에 대한 인식이 높아지면서 1989년 11월 20일에 UN 아동권리협약이 채택되었다. 그 내용은 아동은 한 인간으로서 고유한 존재이며, 스스로가 권리의 주체자임을 인식하고 적극적 참여를 통해 자신의 권리를 향유하고 자신의 권리를 온전하게 보장받을 수 있어야 함을 담고 있는 국제적인 약속이다. 우리나라도 1991년도에 비준국가가 되어 UN 아동권리협약 내용을 준수할 의무국가가 되었다.

잠시 UN 아동권리협약을 탄생시킨 장본인인 야누스 코르착(Janusz Korczak, 1897 ~ 1942)이야기를 하고자 한다.

"아버지의 죽음으로 갑자기 닥친 가난 불행했던 어린 시절을 보내고 유명한 의사가 된 뒤에도 그의 관심이 늘 향한 곳은 폴란드 전쟁 역사의 최대 피해자 가난한 아이들이었다. 더 많은 어린 생명을 구하기 위해 의사를 그만두고 그가 선택한 것은 유대인 보육원 원장이었다.

『감정이라면 아이가 어른보다 더 강하게 느낀다. 아직 억제하는 것을 익

히지 않았기 때문이다. 지성이라면 적어도 어른들과 동등하다. 아이들은 언제나 새로운 경험을 추구하기 때문이다.』라는 보육원 교육의 기본 원칙은 어린이에 대한 존중이었다. 스스로 규칙을 정하고 교사와 요리사를 직접 선택할 수 있는 어린이, 세상을 향한 믿음을 찾게 되는 아이들은 행복했다.

그러나 점차 극으로 치닫는 나치의 유대인 말살정책으로 가난한 노동자, 거리의 부랑자, 부모 없는 고아 등 매일 5,000명의 유대인을 태우고 가스실로 향하는 열차가 있었다.

마침내 보육원에 들이닥친 군인들, 그는 15분의 시간을 벌어 아이들에게 좋은 옷을 챙겨 입히고 "자 지금부터 소풍을 가는 거야."라고 말하고 가장 어린아이의 손을 잡고 아이들을 놀라거나 겁에 질리지 않게 인도하기 위해 노래를 부르며 앞장을 섰다. 그는 아이들과 함께 열차에 오른다. 그로부터 40여 년 후 야누스 코르착의 사상을 근거로 1989년 UN 아동권리 협약이 선포됐다.

나의 가슴을 때린 야누스 코르착의 어린이를 사랑하는 마음은 내가 어린이집 원장으로 지내온 30년 내내 흥분하게 했고 아이들의 놀 권리를 존중하며 함께 노는 행복한 원장이 되게 했다. 놀이 속에서 아이들은 가상과 현실을 넘나들 수 있고 힘이 센 슈퍼맨도 되고 예쁜 공주가 되기도 한다. 훈육하는 선생님도 되었다가 젖먹이 어린 아기가 되기도 한다.

나에게는 15개월 차이 나는 아들이 둘이 있다. 어린이집 원장인 나는 어린이집에 몰입하여 근무하면서 석사, 박사 과정 공부까지 병행하느라 늘 바쁘고 분주하여 자녀들에게 집중하지 못했다. 시부모님의 도움으로 자녀들은 잘 성장하였다. 둘은 때로는 친구처럼 때로는 엄격한 형의 모습으로 동생에게 명령도 하면서 나름 질서를 가지고 지냈다. 그들은 친구가 따로 필요 없을 만큼 아주 잘 놀았다. 부모로서 내가 그들에게 잘했다고 생각되는 것은 그들이 주도적으로 살아갈 수 있도록 환경을 마련해 준 것이었다. 우선 잘 놀게 했고 그들이 원하는 것이 있으면 가능하면 할 수 있도록 해주었다.

그들이 7세, 6세일 때 바둑학원에 다니고 싶다고 하여 바둑학원에 등록해 주었다. 바둑학원은 초등학교 정문 앞에 있었다. 어느 날 땅거미가 지는데도 아이들이 집으로 돌아오지 않았다. 걱정되어 놀란 가슴을 쓸어내리며 바둑학원으로 향하다 발걸음이 멈춘 곳은 바로 초등학교 정문 앞 문방구에 배를 깔고 엎드려서 형들이 하는 '탑브레이드' 팽이놀이를 구경하느라 몰입하고 있는 두 아들을 발견한 순간이었다.

큰아이는 유독 노는 것을 좋아했다. 호기심도 많았다. 그래서 태권도 학원도 한 달에 반은 결석하였고, 피아노 학원도 밥 먹듯이 빠졌다. 아들의 결석 보고를 하는 학원 원장들이 미안한 마음까지 들 정도로 학원 가는 것 보다 친구들과 어울려 노는 것을 더 좋아했다. 나는 그런 아이들의 행동을 그대로 인정해 주었다.

아이들이 중학교 들어갈 무렵 우리 가정은 직장 이직으로 인해 김포로 이사를 갔다. 출퇴근도 가능했지만, 아이를 전원에서 키우고 싶은 마음도 있어서 친정이 있는 전원마을로 이사를 갔다. 도시에서 살다가 시골로 이사를 간 두 아들은 학교 다녀온 후 잔디밭에서 축구, 농구 등 그들의 놀이는 더 자유롭고 행복했었다. 하지만 처음에는 시골 환경에 적응하느라 어려움도 있었다. 하지만 아이들은 시골 환경에 스트레스를 받기보다 잘 적응하려고 노력했었다. 전원주택이라 집 바로 옆은 논과 밭이 있었다. 어느 봄날 개구리들이 짝을 찾느라 밤새 온 동네가 떠나갈 듯이 '개굴개굴' 울어댔다. 다음 날 아들의 일기장엔 이런 내용이 적혀 있었다. "개굴아, 개굴아, 나 잠 좀 자게 그만 울어주면 안 될까?" 화나는 감정을 그대로 표현하기보다는 개구리와 타협하기 위해 부탁하는 아이의 모습을 느끼며 나는 행복했었다.

어린이집 아이들의 놀이는 다양하다. 만 1세 영아들도 구체적인 놀이를 한다. 인형놀이와 소꿉놀이, 생일축하 놀이 등 한두 명이 함께 비언어적인 몸짓을 해가면서 함께 어울려 노는 모습 속에서 상상력이 증진됨을 확인할 수 있다. 나는 유아들과 생태적인 놀이 활동을 많이 한다. 딸기잼, 포도잼 등을 직접 만들기도 하고 가을이면 도토리를 주워서 말리고 깨고 갈아서 녹말 앙금을 만들고 직접 도토리묵을 쑤기도 한다. 겨울이면 앞마당에 구덩이를 파고 아이들이 산에서 직접 나뭇가지를 주워와서 불을 지펴 군고구마를 구워 먹기도 한다. 이러한 놀이 경험들은 아이들의 놀이 속에서 무한한 창의성과 상상력을 불러일으킨다.

몇 년 전 만 4세 남아 두 명의 놀이가 생생하게 기억에 남아서 소개한다.
실내 놀이 중 그들은 쌓기 영역의 모든 적목들과 블록들을 동원하여 고구마 공장을 꾸미고 놀이를 하고 있었다. 교실에 들어선 원장인 나에게 설명하기 시작했다.

'여기는 고구마 공장입니다. 먼저 이곳은 고구마를 세척하는 곳입니다. 다 씻어진 고구마는 운반 트레일을 타고 이동됩니다. 그리고 원장님이 이 버튼을 눌러 주세요. 하며 작은 블록으로 만든 리모컨을 건네주었다. 원장님이 버튼을 누르면' 이 문이 자동으로 열리며 고구마가 바구니에 담겨집니다. 그리고 난 후 택배차에 실려서 시장으로 가게 됩니다. ' 4차 산업시대를 경험하고 사는 아이들 상상 속에는 전자동 시스템이 들어있고, 고구마를 구워 먹어본 경험이 있는 아이들에게는 고구마 공장을 만들어 내는 멋진 놀이를 할 수 있었다. 과연 어른들이 아이들처럼 이런 상상력을 발휘하여 놀 수 있을까? 아이들을 그대로 내버려 두자. 마음껏 놀고 마음껏 상상할 수 있도록 하자.

아이들을 이해하는 데 도움이 되었으면 하기는 바람으로 Loris Malaguzzi 의 '천만에요, 백 가지가 있다구요'라는 글을 소개한다.

어린이는 백 가지로 이루어져 있습니다.

어린이는 가지고 있습니다. 백 가지의 언어, 백 가지의 손, 백 가지의 생각, 백 가지의 생각하는 방법, 놀이하는 방법, 말하는 방법을. 백 가지의, 항상 백 가지의 귀 기울여 듣고, 감탄하고, 사랑하는 방법, 노래하고 이해하는 것에 대한 백 가지의 기쁨, 발견해 나갈 백 가지의 세상, 고안해 낼 백 가지의 세상, 꿈꾸는 백 가지의 세상을 어린이는 백 가지의 언어를 가지고 있습니다.

(그리고 수백 배 더 많이)그렇지만 사람들이 아흔아홉 가지를 훔쳐 가 버립니다. 학교와 문화는 몸과 머리를 따로 떼어놓습니다.

사람들이 어린이에게 말합니다. 손을 써서 생각하지 말라, 머리를 써서 생각하지 말라, 듣기만 하고 말은 하지 말라, 기쁨은 느끼지 말고 이해만 하라, 단지 부활절이나 성탄절에만 사랑하고 감탄하도록 하라.

사람들이 어린이에게 말합니다. 이미 만들어져 있는 세상을 발견하도록 하라, 그리고 백 가지 세상 중에서 아흔아홉 가지는 훔쳐 가 버립니다.

사람들이 어린이에게 말합니다. 작업과 놀이, 현실과 환상, 과학과 상상, 하늘과 땅, 논리와 꿈들은 같이 섞여질 수 없는 것들이라고 그리고 나서 사람들은 어린이에게 말합니다.

"백 가지는 없어."
어린이는 말합니다.
"천만에요. 백 가지가 있어요."

아빠와 함께하는 놀이 플러스

만일 내가 다시 아이를 키운다면…

〈다이아나 루먼스〉

만일 내가 다시 아이를 키운다면
먼저 아이의 자존심을 세워주고 집은 나중에 세우리라.
아이와 함께 손가락 그림을 더 많이 그리고 손가락으로 명령하는 일은
덜 하리라.
아이를 바로 잡으려고 덜 노력하고 아이와 하나가 되려고 더 많이 노력
하리라.
시계에서 눈을 떼고 눈으로 아이를 더 많이 바라보리라.

만일 내가 다시 아이를 키운다면
더 많이 아는 데 관심 갖지 않고 더 많이 관심 갖는 법을 배우리라.
자전거도 더 많이 타고 연도 더 많이 날리리라.
들판을 더 많이 뛰어다니고 별들을 더 오래 바라보리라.
더 많이 껴안고 더 적게 다투리라. 덜 단호하고 더 많이 긍정하리라.
힘을 사랑하는 사람으로 보이지 않고 사랑의 힘을 가진 사람으로 보이리라.

현대사회에서는 남편들이 육아에 깊이 참여하고 있는데 이는 아주 자연스러운 현상이다. 육아에 적극적으로 참여하는 아빠 유형을 표현하는 단어로 프렌디(friend + daddy), 플대디(play + daddy), 스칸디 대디(scandinavia + daddy) 등 신조어들이 나타나고 있다. 이러한 현상이 나타남에도 불구하고 여전히 자녀와 많은 시간을 보내는 사람은 엄마이다. 아빠와 함께하는 놀이는 엄마와 놀이 할 때보다 좀 더 당기는 맛이 있다고 한다. 아빠들이 자신감을 갖고 자녀와 놀이하는 일에 도전해 보시길 바란다. 2024년 아빠 육아휴직급여 1년 6개월 제도가 시행되면서 아빠들도 육아휴직을 많이 사용하게 될 전망이다. 이로 인해 부모와 아이가 더 많은 시간을 행복하게 보낼 수 있는 멋진 변화가 기대된다.

아빠와 함께 놀이를 하게 되면 엄마 놀이는 정적인 반면에 아빠 놀이는 몸을 이용해서 역동적이고 힘을 사용하는 활동에 강하며 거친 신체놀이가 가능한데 이러한 놀이는 공격성과 넘치는 에너지를 해소할 수 있고 위험한 상황을 다룰 수 있고 신체조절 능력이 향상된다고 한다. 또한 엄마와 놀이할 때는 주로 우뇌를 자극하여 감성이 발달하는 반면에 아빠와 놀이 할 때는 좌뇌를 자극하여 이성이 발달함으로 엄마 놀이는 공감과 정서적인 반면에 아빠 놀이는 독립성과 성취를 하며 논리. 수학. 공간지각에 두각을 나타내는 등 균형 잡힌 두뇌 발달을 돕는다. 아빠들은 사회생활의 영역도 넓어서 다양한 분야에 관심을 넓힐 수 있고, 아빠가 들려주는 사회생활 이야기나 역사, 정치, 경제, 스포츠 관련 주제는 엄마 이야기와 서로 보완될 수 있고 지식과 어휘도 자연스럽게 확장시킬 수 있다. 아빠 놀이는 예측이 안 되고 돌발적 상황이나 장난기가 많고 우스꽝스러움을 즐기는 놀이를 많이 해서 아이들의 긴장감 해소와 엉뚱함과 독창적 생각을 자극하고 창의성 발달도 증진된다.

자녀와 놀이하는 것이 익숙하지 않고 직업 특성상 육아에 깊이 관여하지 못하고 있는 초보 아빠라고 해도 하루에 10분씩만 자녀와 놀이를 해보길 바란다. 처음부터 완벽한 놀이대장 아빠는 없다. 일단 10분만이라도 오롯이 아이에게만 집중해 보자. 처음에는 스킨십을 하다가 간지럼을 태우기도 하고 동물 흉내를 내며 걷기 등 자연스럽게 놀이로 발전시킬 수 있게 된다.

아빠가 어릴 적 놀이 했던 놀이들로 잘 알고 즐거운 놀이로 자녀들과 놀아 주자.

팽이, 딱지, 구슬, 공기, 투호, 제기, 실뜨기, 술래잡기, 꼬리잡기, 숨바꼭질, 무궁화꽃이 피었습니다. 씨름, 닭싸움, 사방치기, 동전 던지기, 알까기, 기억력 게임, 끝말잇기 등 어릴 적 놀이했던 경험들을 떠 올리며 종이에 적어놓고 자녀 수준에 맞추어 골라가며 놀이해 보면 어떨까?

또한 축구, 탁구, 야구 등 각종 스포츠를 미니 경기로 진행해 보는 것도 흥미 있는 놀이가 되고 잠자기 전 아빠 어릴 적 이야기를 들려주는 등 놀이 시간을 따로 내지 않아도 즐겁게 자녀와 함께 할 수도 있다.

자녀들이 균형 잡힌 두뇌 발달과 논리적이고 이성적인 아이, 유머 있고 즐거운 아이로 성장하길 원하는 모든 아빠들이 자녀와 함께 성장하길 응원한다.

부모의 놀이지원
프로젝트

한 아이의 이야기를 들어 보자. 너무나 평범한 아이가 있었다. 그 아이는 하얀 스케치북 가득 검은 크레용으로 색을 칠하기 시작했다. 아이는 쉬지 않고 여러 장의 검은 그림만을 그렸다. 그 아이의 부모님과 선생님은 걱정이 되어 병원을 찾았다. 아이의 그림을 지켜보던 간호사가 그림을 퍼즐처럼 맞추어 보기 시작했다. 그 아이가 그린 것은 무엇이었을까? 바로 '고래' 검고 큰 멋진 '고래'였다. 아이는 아주 큰 고래를 그리고 싶었던 것이었다. 우리는 늘 눈에 보이는 것만을 가장 중요하게 생각하곤 한다. 이제는 아이의 깊은 곳까지 생각하길 바란다. 아이들이 잠재되어 있는 능력을 잘 발휘할 수 있도록 가정에서도 자녀와 함께 놀 줄 아는 부모님이 되길 바라는 마음으로 놀이 몇 가지를 소개한다.

부모와 함께하는 가정 내 놀이

1. 상상력 촉진 미술 놀이: "꿈의 그림"

아이에게 상상 속의 세계나 꿈에서 본 것을 그리게 하고 부모님이 아이의 그림에 대해 관심을 보이며 이야기를 나눈다. 아이가 상상한 세계에 대한 이야기를 들려주고, 그것을 바탕으로 스토리를 함께 만들어본다. 아이의 상상력과 창의성을 자극하고, 부모님과의 대화를 통해 언어발달을 촉진한다.

2. 집 안 탐험대: "비밀의 장소 찾기"

탐험과 발견의 즐거움을 통해 아이의 호기심과 관찰력을 길러주는 놀이로서 집 안의 특정 장소나 구역을 '비밀의 장소'로 설정하고 아이에게 그 장소를 찾을 수 있는 단서를 제공한다. (예: 수수께끼, 간단한 지도). 아이가 단서를 해결하고 장소를 찾았을 때, 작은 선물이나 칭찬으로 격려한다면 아이는 문제 해결 능력과 탐험적 사고를 발달시키며, 집 안의 공간에 대한 인식을 넓히게 된다.

3. 가족 요리 교실: "우리 집 요리사"

요리를 통해 가족 간의 협력과 책임감을 배우는 놀이 방법으로서 아이와 함께 간단한 요리를 선택한다 (예: 샌드위치, 과일샐러드, 카나페).

아이에게 안전한 조리 활동을 맡기고, 부모님은 지도하며 함께 요리한다. 요리가 끝난 후, 가족 모두가 함께 맛보며 즐긴다. 이러한 놀이는 아이의 자립심과 협동심을 키우며, 가족 간의 소통과 결속력을 강화한다.

4. 청소 대장 놀이

1주일에 한 번 정도는 가족들이 함께 가정 대청소를 해보면 좋다. 가족 회의를 통하여 각각 업무를 분장하여 청소한다. 아이에게는 놀잇감 방을 치우게 하면 놀잇감에 대한 관심도 더 커지고 놀잇감이 청결해야 함도 알게 된다. 자연스럽게 놀잇감을 범주화시킬 수 있게 된다.

이러한 놀이들은 아이들의 다양한 능력을 발달시키는 동시에, 부모님과의 소중한 추억을 만들기에 완벽하다. 부모님과 아이가 함께 즐길 수 있는 이 시간은 아이의 성장에 있어 무엇보다 중요한 경험으로 남을 것이다.

숲속에서의 부모와 자녀 놀이

숲은 단순한 놀이터가 아닌, 아이들의 감성, 창의력, 그리고 사회적 기술을 기르는 자연의 교실이다. 부모와 자녀가 함께 숲을 탐험하며 경험하는 것은 아이들의 전인적 발달에 있어 필수적이다. 숲속에서의 놀이와 탐험은 숲의 아름다움과 자연의 소리들은 아이들의 감성을 풍부하게 하고 자연에서의 자유로운 놀이는 아이들의 창의적 사고를 자극한다. 또한 부모와 상호작용을 통해 아이들은 협력과 소통의 기술을 배운다.

이러한 가치를 바탕으로, 숲에서 부모와 자녀가 함께할 수 있는 다양한 놀이 방법을 소개한다.

1. 자연물로 예술 만들기

숲에서 찾은 나뭇잎, 돌, 나뭇가지, 꽃 등을 사용해 집도 지어보고, 왕관도 만들어 보고, 인디언 분장도 하는 등 예술 작품을 만들어본다. 이러한 활동은 창의력을 발휘하고 자연을 새로운 시각으로 바라보는 기회를 제공한다.

2. 보물 사냥 게임

숲속에 숨겨진 '보물'을 찾는 게임을 진행한다. 보물은 자연 속에서 찾을 수 있는 특별한 물건일 수 있다. 신기한 돌, 신기한 나뭇잎, 각종 열매 등을 찾아보면서 관찰력과 문제 해결 능력을 기르며, 탐험의 즐거움을 경험하게 한다.

3. 자연 관찰 일기

숲속의 사계절 변화를 관찰하기도 하고 동식물을 관찰하고, 그것들에 대해 그림을 그리거나 글로 기록하는 일기를 작성한다. 봄이면 개구리알을 떠와서 개구리가 되기까지의 성장을 관찰하기도 하고 '내 나무'를 정하여 나무의 일생을 관찰하기도 한다면 자연에 대한 호기심을 키우고, 관찰력과 기록하는 습관을 길러준다.

4. 숲 소리 듣기

눈을 감고 숲의 다양한 소리에 집중해보는 시간을 가진다. 새소리, 나뭇잎 사이를 지나는 바람, 멀리 들리는 동물의 소리 등을 듣는다. 자연에 대한 감각을 키우고, 마음의 평화를 찾는 데 도움을 준다.

5. 숲속 숨바꼭질

숲속의 다양한 장소를 이용하여 숨바꼭질을 한다. 신체 활동을 통해 건강을 증진시키고, 숲속의 다양한 공간을 경험하게 한다.

부모와 자녀가 함께 숲에서 보내는 시간은 아이들에게 자연을 사랑하고 존중하는 마음을 심어주며, 가족 간의 소중한 추억을 만들어 준다. 이러한 경험은 아이들의 전인적 성장에 있어 무엇보다 중요한 역할을 한다.

조 운 숙
silyvia0227@hanmail.net

국공립 범박주공어린이집 원장
경기대학교 교육대학원 유아교육 석사
가톨릭대학교 일반대학원 아동가족학 박사 수료
유아교육 경력 30년
미술치료사2급, 부모교육 전문강사
반응성 상호작용 교수법2_실제편 집필진

"천재는 꼭 훌륭한 부모 밑에서 나지 않는다.
좋은 부모란 아이에게 따뜻한 유년을 물려주는 사람이다."

-외르크 치틀라우

자신감 있고 행복한 아이로 키우기

아이는 오늘도 자라는 중입니다.
부모도 배우면서 함께 성장합니다

부부,
부모가 되다

어떤 부모가 되고 싶어?

사랑하는 남자와 여자가 만나 결혼을 통해 부부가 된다. 부부 사이에 아이가 태어나고 부부는 이제 부모가 된다. 아이가 태어나는 순간은 어떤 말로도 표현할 수 없는 경이로운 경험이다.

나는 서른에 아들을 낳았다. 아이를 낳기 전에는 출산에 대한 공포와 양육에 대한 두려움도 있었지만, 아이를 낳고 나니 세상을 바라보는 눈이 달라져 있었다.

'이렇게 작고 예쁜 아기가 나에게로 왔다니.' 모든 초점이 아이를 향해 있었다.

내가 세상에 태어나서 제일 잘한 일은 아이를 낳은 일이다. 부모가 되는 경험은 나를 많이 성장시켰다. 부모 됨은 무엇과도 비교할 수 없는 소중한 경험이다. 두 번째로 잘한 일은 어린이집 원장을 한 것이다. 아이, 부모, 교사와의 관계 속에서 내가 더 나은 사람으로 매일 성장함을 경험한다.

부모가 되면 '어떤 부모가 될 것인지, 어떻게 아이를 키울지'에 대한 고민이 시작된다.
아이를 키우면서 생기는 질문은 무한대로 생길 수 있고, 그에 대한 대답 역시 얼마든지 생겨날 수 있다.

어린이집은 11월부터 확정을 하고 신입 원아 입학상담을 한다.
부모님은 용변처리 방법, 반 편성, 키즈노트 사용 여부와 작성 주기, 아이가 낮잠을 안 잘 때는 어떻게 하는지, 아이 밥은 어떻게 먹여주는지, 희망 하원 시간에 아이들이 몇 명 남아 있는지, CCTV 사각지대는 없는지 등등 질문을 한다. 질문들이 동일하여 물어보니 인터넷에 있는 체크리스트라고 한다. 처음 아이를 어린이집에 보내다 보니 무엇을 물어봐야 하는지 모르겠는데 인터넷에 체크리스트가 있어서 적어왔다고.

누구나 처음은 어렵다. 아이를 처음 양육하고 처음 어린이집에 보내고 처음 학교를 보내고 등등 경험이 없으면 걱정이 많다.

부부가 가지고 있던 삶의 가치관은 부모가 된 후부터는 양육 가치관으로 확장된다. 양육 가치관은 자녀를 기르는데, 영향을 미치는 부모의 가치관, 철학, 신념, 태도 등을 말한다. 하지만 우리는 부모가 되기 전에 부모 됨에 대해 배운 적도 없고, 고민해 본 경험이 별로 없다. 아이가 태어나면 호락호락하지 않은 육아의 세계에 적응하느라 서로의 양육관이 어떤지 알아볼 겨를도 없다.

부부가 육아 전에 이야기를 나누었다 하더라도 이론과 실제가 다르다고 느끼게 된다. 엄마는 산후우울증을 겪게도 되고 독박육아라는 서러움에 부부간의 갈등도 겪게 된다. 본격적인 육아를 시작해 보니, 서로의 양육관이 얼마나 같고 다른지 알아보는 것이 중요하다는 것을 깨닫게 된다.

앞으로 아이를 기르며 마주하게 될 많은 선택의 과정에서 갈등을 최소화하고 최선을 선택하기 위해서는 부부가 함께 밑그림을 그려야 한다. 우리 부부에게 맞는 양육관은 무엇일지 생각해 보고 부부가 머리를 맞대고 고민하면서 서로의 진심을 귀 기울여 듣는다면 아이를 더 사랑스럽게 바라볼 수 있다.

당신은 어떤 부모가 되고 싶은가?

나는 어떤 유형의 부모일까?

부모들은 양육의 어려움에 대해 어떻게 해결하고 있을까? 전문가의 강연을 듣기도 하고 육아서적을 보기도 하고 주변의 육아 동지의 이야기를 참고하기도 한다. 정보가 너무 많다 보니 육아를 하다 보면 혼란만 커진다. 여러 전문가들의 말이 각자 조금 다르기도 하거니와 우리 아이에게 맞지 않는 이야기도 있기 때문이다.

어느 전문가가 방송에 나와 인기를 끌면 유행처럼 번져 따라 하기도 하고 맹신하기도 한다.
시간이 흐르면 다른 양육 솔루션이 나와 인기를 끌기도 한다.

왜 그럴까?

전문가들의 의견이 일치하지 않는 이유는 옳고 그름의 문제가 아니라 아이의 행동을 보는 관점이 달라서이다. 아이의 행동을 설명할 때 그 원인을 과거에서 찾느냐 현재에서 찾느냐에 따라 달라지기 때문이다. 아이의 행동을 설명하는 관점에 따라 의견도 달라진다.
결국, 아이를 위한 정보를 선택하는 사람은 부모이다. 우리 아이를 어떤 관점을 가지고 키울지를 생각해 보자.

첫 번째 부모 유형은 과거형 부모이다.

'과거형 부모'는 아이의 행동 원인을 과거의 경험에서 찾으려는 부모이다. 아이의 행동을 해석하거나 이해하려 할 때, 주로 아이의 어린 시절의 경험을 중심으로 본다. 예를 들어, 아이가 어린 시절에 부모의 이별을 경험했다면 아이가 이별에 대한 불안감을 현재의 행동에 반영하는 것으로 해석한다.

몇 년 전 만 2세 반에 여자아이가 입학하였다. 신체 발달은 정상이었지만 표현 언어가 안되어 대부분 울음으로 의사를 표현하는 정도였다. 어린이집 적응을 도와주시던 엄마는 또래 아이들을 보며 우리 아이가 다르다는 생각을 처음 했단다. 엄마를 통해 아이의 성장 이야기를 듣게 되었다. 아기 때 잘 울지 않았다. 기저귀가 젖어도 배가 고파도 보채지 않았다. 엄마가 놀아주지 않아도 혼자 잘 있어 순한 아기라고 생각했다. 엄마는 가정 내 걱정거리도 있는 상황이라 아이에게 관심을 주지 못했다. 엄마는 "전부 제 탓이에요. 제가 너무 몰랐네요. 제가 해준 게 없어요."라며 많은 눈물을 흘리셨다.

나로 인해 아이 발달에 부정적인 영향을 미쳤다고 생각하는 부모는 죄책감을 갖는다. 불확실하고 돌이킬 수 없는 과거에서 원인을 찾는다. 부모가 지금 아이의 행동에 대해 과거의 어느 시점에 문제가 있었는지를 알아내고 해결하기란 쉽지 않다. 설령 원인을 찾더라도 이미 지나가 버린 아이의 어린 시절을 어떻게 회복해줄 수 있을까? 부모인 내가 아이를 잘 돌보지 못해 그런 행동을 보였다고 죄책감을 가진들 무슨 소용이 있을까? 그러니 확실하지 않은 과거에 머물기보다 현재 할 수 있는 방법을 찾아보는 것이 더 현명하다.

두 번째 유형은 지시형 부모이다.

'지시형 부모'는 아이에 대해 높은 기대와 명시적인 지시를 가진다. 아이는 부모의 뜻대로 만들어진다고 믿는다.

말이 늦은 아이를 "어린이집에 너무 늦게 보내서 또래와 어울릴 기회가 없었어요"라고 말하는 부모는 아이의 행동 원인을 현재 시점에서 찾고는 있다. 그러나 환경 또는 다른 보상으로 문제를 해결하려고 한다. 아이의 발달에서 더 중요한 것은 "유전일까요? 환경일까요?"라는 질문에 대부분의 부모는 환경이라고 말한다. 환경이 많이 제공될수록 아이의 발달에 더 좋다고 생각한다. 아이는 타고난 것이 아니라 전적으로 경험을 통해 만들어진다고 본다. 그래서 두뇌발달에 도움이 된다고 하면 기꺼이 비싼 교구와 전집들을 사곤 한다. 현재 어떤 경험을 갖게 해주느냐에 따라 성공적으로 아이를 키울 수 있다고 믿기 때문이다. 부모들은 자칫 아이의 성향은 무시한 채 부모 자신이 선호하는 정보에 의한 것들을 경험하게 해준다.

어떤 부모는 20개월 아이가 1부터 100까지 세는 것을 자랑한다. 영아에게 한글 학습지를 시키기도 한다. 이는 자칫 아이의 관심과 타고난 성향을 무시한 채 교육이라는 이름으로 부모가 계획한 스케

줄을 주입하는 것이다. 유명하고 비싼 학원을 등록하고 교육비를 많이 투자한 부모는 "내가 널 위해 어떻게 했는데 성적이 이게 뭐야?" 하며 아이를 질책하고 아이는 "내가 그렇게 해 달라고 했나요? 엄마, 아빠 맘대로 한 거잖아요?"라며 갈등을 초래하기도 한다. 아이는 무조건 학습한다고 만들어지는 존재가 아니다. 진정한 학습은 아이 스스로 내적 동기가 생겨서 스스로 하고자 할 때 이루어진다. 부모가 주도하고 부모가 선택한 것에만 따르게 한다면 아이는 스스로 유능하지 못하다는 생각에 점점 위축되고 자신감을 잃게 될 수도 있다.

세 번째 유형은 반응형 부모이다.
'반응형 부모'는 자녀의 감정과 요구에 민감하게 반응해 주는 부모이다.

말이 늦은 아이를 "우리 아이는 아직 시기가 안 된 것 같아요. 아직 말은 못 하지만 몸짓으로 소통은 해요. 지켜보고 있어요." 하는 부모이다.

발달심리학자 비고츠키에 따르면 부모는 아이의 발달을 촉진 시키는 비계 같은 역할을 한다. 비계는 건물을 지을 때 디디고 서도록 긴 나무 등으로 엮어 다리처럼 걸쳐놓은 설치물이다. 부모는 아이의 발달을 지지하는 역할을 하는 존재이다. 아이는 혼자보다 부모와 함께 놀면서 더 잘 배운다. 하지만 부모는 아이와 노는 것이 힘이 든다고 말한다. '뭘 하며 놀아줄까? 어떻게 놀아줄까?' 하는 고민 때문이다. 놀이의 주도자는 부모가 아니라 아이이고 부모는 지지자임을 명심하자.

비고츠키는 아이는 부모나 선생님과 함께하는 일상적인 놀이 또는 활동을 통해서 학습하고 배워 간다고 했다. 따라서 아이의 발달을 위해서는 일상적인 활동에 아이가 능동적으로 참여할 수 있도록 격려해 주어야 한다. 예를 들어, 말을 시작한 아이가 사탕을 보고 "따당"이라고 했을 때 "따당 아니고, 사탕이야."라고 가르치지 말고, 아이를 따라 "따당"이라고 반응하며 아이의 현재 수준을 그대로 인정해 준다. 아이는 과정 과정을 이어가며 다음 단계로 발달할 것이다.

이처럼 관점에 따라 아이를 키우는 방법이 다르다. 앞서 본 세 가지 유형 중 당신은 어떤 부모 유형인가? 어떤 관점을 가지고 키우고 있는가? 어떤 유형의 관점이 옳고 그르다고 단언할 수는 없다. 가장 중요한 것은 '우리 아이를 잘 키우고 싶다.'는 마음이다. 단, 어떤 방법으로 키울지는 부모의 선택에 달려 있다. 현재 아이의 행동을 어떻게 볼 것인지에 대해 부모의 양육관이 서 있어야 수많은 정보 속에서 우리 아이의 발달을 도울 수 있는 선택을 할 수 있다.

부모, 자신 돌보기

나의 부모님은 딸 다섯을 낳아 키우고 공부시키느라 많은 희생을 하셨다. 자식을 키우기 위해 열심히 일하시느라 항상 바쁘셨다. 자신들을 위해서는 돈과 시간을 쓰지 않으셨다. 내가 아이를 낳아 키워보니 부모님의 희생에 감사할 따름이다.

부모가 되면 어느 정도 희생이 뒤따른다. 우리네 부모같이는 못하지만. 신생아 때는 아이를 돌보느라 밤잠을 자지 못해 몸이 너무 힘들다. 걸음마 시기에는 다칠까 봐 따라다니느라 바쁘다. 육아란 끝이 없다. 주위의 도움을 받을 수 있는 경우는 조금 낫지만, 독박 육아를 하게 되면 나를 위한 시간은 없는 것 같다. 점점 육아 스트레스가 쌓인다. 그래서 아이를 키우며 산후우울증을 겪었다는 엄마들이 많이 있다.

다행인 것은 요즘은 아빠의 육아 참여가 많은 것 같다. 어린이집 입학상담 때부터 엄마, 아빠가 함께 오기도 하고, 부모참여수업이나 어린이집 행사에도 아빠 참여가 높은 편이다. 아빠가 육아휴직을 하여 육아를 전담하기도 한다. 고맙고 부러운 일이다.

몇 년 전에 남매를 어린이집에 보내는 가정이 있었다. 아빠는 직장에 다니고 엄마는 전업주부였다. 아이들의 어린이집 생활 문제로 엄마와 상담을 하게 되었다. 활동적인 남매를 양육하느라 엄마는 많이 지쳐 있었다. 아빠가 평일에는 직장 일로 늦게 들어오고 주말에는 공부하느라 엄마가 독박육아를 하고 있었다. 그러다 보니 아이들에게 큰소리도 많이 내고 화도 많이 낸다고 하였다. 그 영향이 아이들에게 간 것 같다며 많이 속상해했다. 조금이라도 본인의 시간을 가질 수 있으면 좋겠다는 바람을 갖고 있었다. 개인 시간이 있으면 뭘 하고 싶은지 물으니, 엄마는 남대문시장에 가고 싶다고 하였다.

며칠 후 어렵게 아빠와 상담하였다. 엄마의 상황과 아이들의 어린이집 생활에 대해 알려준 후 아빠가 어떤 도움을 줄 수 있을지 이야기를 나누었다. 아빠는 일주일 한 번은 일찍 퇴근하여 아이들을 돌보겠다고 하였다. 그 후 엄마는 일주일에 하루 남대문시장에 갈 수 있는 시간을 갖게 되었다. 그 후 엄마도 아이들도 많이 밝아졌다.

아이를 위해 희생한다고 생각하는 부모는 아이를 자신의 소유물로 여기기 쉽다. 자신의 희생만큼 아이는 부모의 기대를 충족시켜 줘야 한다고 생각한다. 기대를 충족시키지 못하면 부모와 아이는 모두 불행해진다. 아이만 돌볼 것이 아니라 부모 자신도 돌보아야 한다. 부모가 건강해야 아이도 건강하기 때문이다. 아이를 독립적인 인간으로 대할 때 부모도 행복할 수 있다.

나는 힘들고 지칠 때 산책을 한다. 산책을 통해 몸을 움직이면서 마음의 휴식을 취할 수 있다. 나무, 꽃, 공원의 풍경 등 자연의 아름 다움은 마음을 진정시킨다. 산책은 혼자만의 시간을 가질 수 있다. 조용한 환경에서 걸으며 자신과 대화하고 마음을 정리할 수 있다.

따라서, 힘들고 지칠 때 산책은 몸과 마음을 회복시키는 좋은 방법이다. 자연 속에서 신선한 공기를 마시며 운동하고, 마음을 안정시키는 시간을 가질 수 있다. 힘이 나지 않을 때는 산책을 선택하여 자신을 돌보고 힘을 내는 것을 추천한다.

예전에 이호선 교수의 강의를 들을 기회가 있었다. 자신을 돌보는 몇 가지 방법에 대해 알려주었다. 많이 공감하여 지금도 기억에 남는다.

첫째, 나만의 위로 장소를 정해라.

전망이 좋은 카페라든지, 바다 또는 산 등 자신의 위로 장소를 정해서 가는 것이다.

둘째, 나를 위로하는 음식을 먹어라.

매운 떡볶이를 먹으면 스트레스가 풀리는 사람이 있다고 하자. 이것이 반복되면 힘들 때 매운 떡볶이만 떠올려도 스트레스가 어느 정도 풀린다고 한다.

셋째, 나를 위로하는 노래를 들어라.

어떤 노래는 들으면 가사가 내 이야기 같은 경험을 한 적이 있을 것이다. 울며 웃으며 감정이 많이 해소되는 경험을 하게 된다.

내가 힘들고 지칠 때 스스로 위로하고 돌보는 것이다.

부모,

아이를 만나다

도대체 누굴 닮은 걸까?

"얘는 도대체 누구 닮아 고집이 이렇게 센 거야?"
"누구 닮긴~ 당신 닮아서 그렇지!"
"얘는 도대체 누구 닮아 이렇게 소심할까?"
"나는 안 그랬는데…."
"나도 아니야~"

아이를 키우다 보면 이런 대화를 나누게 되는 경우가 있다. 물론
아이는 엄마, 아빠를 닮는다.

"우리 아이는 왜 그러는 걸까요?"

"우리 아이는 밥을 잘 안 먹어서 걱정이에요. 왜 안 먹는 걸까요?"

"다른 친구들은 다 적응했는데, 우리 애만 적응을 못 해서 속상해요"

"우리 아이는 친구들과 안 놀고 혼자 놀아요."

부모는 내 아이에 대해 잘 모르겠다고 한다. 왜일까? 아이를 키우면서 부모가 가장 많이 갖는 감정은 '불안'이다. 부족한 부모라고 생각하던지 내가 잘못하고 있는 것은 아닌지 하는 불안감은 아이를 다그치기도 하고 아이에게 화를 내기도 한다.

TCI의 원작자인 클로드 로버트 클로닝거 박사에 따르면 사람의 기질은 타고나며 성격은 기질을 바탕으로 환경 속에서 형성된다고 한다. 타고난 기질은 변하지 않지만, 부모에게 수용 받으며 조절하는 과정에서 성격이 형성되고, 이것이 합쳐져 성숙한 인성을 만들어 간다는 것이다. 아이를 잘 키우고 싶은 부모가 제일 먼저 알아야 하는 것은 '내 아이가 어떤 아이인가'를 아는 것이다.

그럼, 우리 아이의 기질이 어떤 특징을 지녔는지 알아보자.

첫 번째 기질 요소는 '자극 추구'이다. 새로운 자극이 들어왔을 때의 행동 반응 요소이다.

자극 추구가 높은 아이는 새로운 자극, 장소, 환경에 높은 흥미를 보인다. 새로운 자극이 많은 곳에서는 더욱 부산스러워 보인다. 익숙해 지면 금방 싫증을 느끼고 단조로운 환경에 지루함을 느낀다.

새로운 것에 호기심이 많다. 하고 싶은 것이 생기면 다소 산만하고 충동적인 모습이 보인다. 흥미가 있으면 활동에 매우 협조적인 모습을 보인다. 기다리기, 규칙 지키기를 어려워한다.

자극 추구가 낮은 아이는 새로운 자극에 대해 흥미를 크게 보이지 않는다. 새로운 것보다 익숙한 사람, 장소를 더 선호한다. 규칙대로 따라 하고 반복하는 활동을 선호한다. 무엇을 결정하기까지 시간이 많이 필요하다. 주변에서 답답해할 수 있다. 집중을 잘하고 참고 기다리는 모습을 보인다. 충분히 즐기지 못하고 절제하는 모습을 보인다.

두 번째 기질 요소는 '위험 회피'이다. 낯설거나 익숙하지 않은 자극, 환경에 대해 행동을 멈추게 하는 요소이다.

위험 회피가 높은 아이는 닥칠 일, 나쁜 일, 무서운 일에 대해 미리 걱정하고 걱정이 많다. 새로운 환경, 활동에 대한 적응 시간이 오래 걸린다. 일상의 작은 변화에 두려움을 느껴 힘들어한다. 낯선 사람에 대한 수줍음이 많다. 새로운 사람에게 안정감을 느끼기까지 충분한 시간이 필요하다. 활력이 부족한 모습을 보이고 빨리 지친다.

위험 회피가 낮은 아이는 자신감 있고 활력이 넘친다. 낙관적이고 모험하는 것을 즐긴다. 위험을 두려워하지 않고 쉽게 위축되지 않는다. 사회적 상황에서 사교적이다.

세 번째 기질 요소는 '사회적 민감성'이다. 타인의 인정과 감정에 대해 어떤 반응을 할 것인지를 결정하는 요소이다.

사회적 민감성이 높은 아이는 마음이 여리고 정에 약한 모습을 보인다. 자신의 감정이나 경험을 다른 사람에게 잘 표현한다. 자신의 욕구보다는 다른 사람과 관계를 맺는 것에 관심이 많다. 다른 사람이 느끼는 감정, 표정 변화에 매우 민감하다. 다른 사람의 눈치를 살핀다. 독립적으로 의사결정 하는 것을 어려워한다.

사회적 민감성이 낮은 아이는 많은 감정을 느끼거나 표현하지 않는다. 다른 사람과 가까워지는 것을 좋아하지 않는다. 아이와 친해지기까지 충분한 시간이 필요하다. 혼자 보내는 편안한 시간을 필요로 한다. 무언가를 결정할 때 의존하지 않는다. 내가 원하는 것을 표현하고 선택하는 것을 선호한다. 다른 사람의 눈치를 많이 보지 않는다.

이제, 내 기질과 내 아이의 기질 특성을 알아채셨나요?

기질을 아는 것은 나를 먼저 이해하고 상대방을 이해하는 것이 가장 큰 목적이다. 다름의 차이를 수용하는 것이다. 아이의 기질을 있는 그대로 받아들이자. 기질에 맞는 욕구를 수용하자. 아이가 잘 지내려면 무엇이 필요한지 고민하고, 그것을 제공해 주면 된다. 내 아이에게 맞는 문제해결 방식을 찾는 것이다.

부모는 자신의 기질을 알면 자신의 강점과 약점이 무엇인지 알고 그에 맞게 기질을 조절하며 살아갈 수 있다. 아이에게는 양육환경을 통해 기질을 조절할 수 있는 능력을 길러줄 수 있다.

기질의 특성을 대해 알고 난 후 '나는 이런 기질이구나. 내 기질의 장점을 키울 수 있는 방법은 뭘까?' 하며 우선 마음이 편해졌으면 한다. 기질을 이해하고 수용하는 것이 진정한 자기 사랑이며 자존감의 핵심이다. 나답게 사는 것이 가장 행복한 것이다.

아이는 자라면서 완수할 미션이 있다?

　부모가 발달 이론에 대해 알게 되면 육아에 대한 궁금증이 많이 해소된다. 발달에 대해 알게 되면 아이를 어떻게 돌봐야 하는지를 알게 된다.

　우리 어린이집에 근무했던 선생님의 경험담을 이야기해 보고자 한다. 아이를 낳고 의류 매장을 운영하느라 시어머니께 육아를 맡겼다고 한다. 시어머니는 내성적인 성격이어서 주로 집에서 아이와 함께 생활하였다. 선생님은 아이가 네 살 무렵 발달이 늦은 것을 인지하고 어떻게 해야 하나 고민을 하였다. 아이에 대해 알고 싶어 대학 아동보육과에 진학하였다. 학업을 통해 아동발달과 심리학에 대해 알게 되었고 궁금증이 많이 해결되었다고 한다.

　에릭슨의 심리사회적 발달 이론은 아이가 태어났을 때부터 성인이 되어 죽음에 이르기까지 전 생애를 다루고 있다. 각 발달단계에 성공해야 할 미션이 있고 실패하면 다음 단계로 가는 게 힘들어진다고 말한다. 모든 단계가 개인의 심리사회적 발달에 중요한 역할을 한다. 그럼, 각 시기마다 이루어야 할 미션에 대해 알아보자.

첫 번째 미션은 신뢰감 대 불신감이다.

아이가 태어나서 생후 1년 동안 획득해야 할 미션은 신뢰감이다. 엄마 배 속에 있던 아기는 태어나면서 세상에 나온다. 엄마 자궁 속과 다른 세상에 나온 아기는 매우 불안하다. 아기는 불편함을 부모에게 울음으로 표현한다. 자신의 감정과 욕구를 표현하는 것이다.

배가 고프면 울고, 기저귀가 젖어도 울고. 이때 부모가 젖을 주고 기저귀를 갈아주면 아기의 욕구가 채워진다. 울고 난 뒤 욕구가 채워지면 '와, 내가 원하니까 되네! 나는 역시 대단해!'라고 느낀다. 이런 경험이 반복되면 '나는 괜찮은 사람이네!'라고 느끼며 신뢰감을 형성한다. 세상은 안전하고 괜찮은 곳이라는 안정감도 갖게 된다.

아기가 울어도 부모가 반응을 제대로 안 해주면 어떨까? 아기는 '나는 능력이 없나 봐! 나는 별로인가 봐!'라고 느낀다. '세상은 믿을 수 없는 곳이야.'라는 불신감을 갖게 된다.

첫 번째 신뢰감 단계는 기본 토대이기 때문에 매우 중요하다. 부모는 아기가 표현하는 욕구에 민감하게 반응해 주어야 한다.

두 번째 미션은 자율성 대 수치심이다.

걸음을 걷기 시작한 아이는 스스로 세상을 탐색한다. 아이는 다양한 사물들을 탐색하며 자신의 방식대로 하고 싶은 욕구가 생긴다. 이 시기에 "내가, 내가….""아니야!""싫어!"와 같은 의사 표현을 한다. 음식을 많이 흘리면서도 혼자 먹으려고 한다. 아이의 능력으로는 할 수 없는 것을 혼자 해 보겠다고 고집을 부리기도 한다. 아이에게 해 볼 수 있는 기회를 주는 것이 좋다. 충분히 경험해보고 성취감을 느끼면 자율성이 생긴다.

부모는 친절한 방법으로 아이의 자율성을 빼앗곤 한다. 아이에게 친절하게 음식을 먹여주고 옷도 입혀주고 아이가 스스로 해 볼 수 있는 기회를 주지 않는다. 놀이할 때 옆에서 놀이방법을 제안하기도 한다. 부모가 '안돼'라는 말을 자주 할 때 아이는 스스로에 대해 수치심을 갖게 된다.

물론, 아이의 자율성을 모두 수용해 줄 수는 없다. 아이와 타인의 안전에 해를 입히는 행동은 당연히 제지해야 한다. 하지만 놀이할 때만큼은 아이가 원하는 대로 자율성을 발휘할 수 있도록 허용해 주면 어떨까?

세 번째 미션은 주도성 대 죄책감이다.

이 시기 유아는 어린이집에 다니면서 또래와 사회적 관계를 경험한다. 스스로 목표를 세워 친구들과 놀이를 한다. 부모가 유아가 세운 목표나 계획을 탐색하고 실행해볼 수 있도록 허용하면 주도성이 발달하게 된다. 주도성은 내가 하고 싶은 대로 이끌고 가는 것을 의미하지는 않는다. 내가 원하는 것을 다른 사람과 함께 하는 능력을 말한다. 내가 원하는 놀이를 친구와 같이하려면 타협도 해야 하고 양보도 해야 한다. 유아가 하는 활동을 제한하거나 부모가 이끄는 대로 지시할 때 좌절을 경험하며 죄책감을 느끼게 된다.

네 번째 미션은 근면성 대 열등감이다.

이 시기는 초등학교 시기로 본격적인 사회생활을 하기 시작한다. 학교에 가기 위해서는 시간 맞춰 일어나 준비해야 한다. 자기 물건도 스스로 챙겨야 한다. 수업시간에 자리에 앉아 학습해야 한다. 아이의 생활과 학습 등 기본적인 습관을 잡는 중요한 시기이다. 주어진 과제를 성취하는 과정을 통해 근면성을 갖게 된다. 이 시기에는 아이의 작은 성취에 대해 격려해 줘야 한다. 아이의 행동이나 습관에 대한 부모의 잦은 지적은 아이에게 스스로 형편없는 사람으로 생각하게 된다. 하기 싫은 일, 어려운 일도 받아들이고 견디는 힘이 필요하다. 아이가 자신에 대해 믿음과 자신감을 가질 수 있도록 아이가 잘하는 것을 찾아서 격려해 주자.

아이는 차례대로 완수한 신뢰감, 자율성, 주도성, 근면성의 네 가지 미션을 바탕으로 청소년기에는 자아정체감을 형성한다. 그 이후 인간은 다음 단계의 미션을 수행하며 죽을 때까지 발달한다. 부모가 잊지 말아야 할 중요한 점은 발달은 위계적이라는 점이다. 자율성이 발달하려면 먼저 신뢰감을 획득하여야 하고 주도성이 발달하려면 먼저 자율성이 성공해야 한다. 아이의 주도성으로 고민하는 부모가 있다면 자율성으로 돌아가 성공한 후 주도성에 도전하자.

장기적 목표 발견하기

부모는 내 아이가 어떤 사람으로 성장하기를 바라는가? 입학상담 때 부모에게 질문하면, 남에게 폐 안 끼치는 사람, 정직한 사람, 책임감 있는 사람 등의 대답을 하신다. 장기적 목표란 아이가 성인이 되었을 때 이루었으면 하는 목표를 말한다.

'긍정적으로 아이 키우기' 부모교육 강사과정에서 배운 장기적 목표 발견하기를 소개하고자 한다.

평범한 아침이다, 엄마는 출근을 아이는 어린이집에 가야 한다. 엄마 출근 시간은 다가오는데 아이는 장난감을 가지고 놀고 있다. 이제 어린이집에 가야 할 시간이라고 이야기해도 아이는 계속 장난감을 가지고 놀겠다고 떼를 쓴다.

이때, 부모는 아이가 무엇을 하길 바라는가? 아이가 가지고 놀던 장난감을 놓고 옷을 입고, 신발을 신고 어린이집에 가기 위해 집을 나서길 바란다. 이것이 오늘 아침의 단기적 목표이다.

하지만 아이는 부모가 원하는 대로 따라주지 않는 경우도 많이 있다. 부모에게 신체 변화, 목소리 변화, 감정 변화가 일어난다. 얼굴이 굳어지거나 식은땀이 날 수도 있다. 목소리도 커질 수 있고 화가 나고 짜증이 날 수도 있다.

부모는 스트레스 상황이 되면 자기 조절력을 잃게 된다. 아이를 안고 나올 수도 있고 협박, 잔소리, 고함을 칠 수도 있다. 또는 아이를 설득하기 위해 아이가 좋아하는 것을 사주는 것으로 타협하거나 아이와 실랑이하다 출근이 늦을 수도 있다.

그럼, 부모의 장기적 목표는 무엇이었는지 생각해 보자.

부모는 아이에게 소리칠 때 무엇을 가르치고 있는가?

단기적 상황에서 부모의 행동은 아이에게 본보기가 된다. 부모의 대처방법을 아이가 배우게 된다. 부모가 화가 날 때 소리를 지르고 화를 낸다면 아이는 그 행동을 배울 것이다.

아이는 어린이집 생활에서 부모의 말, 행동을 표현하기도 한다. 부모가 화가 났을 때 했던 안 좋은 말을 아이가 화가 나면 하기도 한다. 좋은 말인지 나쁜 말인지 구분하지 못하고 들었던 말을 하는 것이다. 아이는 부모의 뒷모습을 보고 배운다. 소리를 지르고 화를 내는 것은 아이가 장기적으로 배우길 바라는 목표와 반대되는 것을 가르치게 되는 것이다.

어떻게 하면 단기적 목표와 장기적 목표를 모두 달성할 수 있을까?

긍정적으로 아이 키우기를 실천하면 가능할 것이다.

자세한 긍정적 아이 키우기는 어린이집 부모교육에서 알아보자.

고민 끝,
행복 육아 시작이다

아이와 몸놀이 하기

나는 아이들을 만나면 꼭 안아주고 몸을 간질~ 간질~ 간지럼을 태우곤 한다. 그럼, 아이는 깔깔깔 웃으며 재미있어한다. 비행기도 태워주고 아이와 손을 잡고 빙글빙글 돌기도 한다.

몸으로 놀아주는 것을 아는 아이들은 나를 만나면 몸에 올라타기도 하고, "나 잡아 봐라!" 하고 잡기 놀이를 먼저 하기도 한다. 아이들의 얼굴에는 흥미가 가득하다.

2020년에 발생한 코로나19는 가정과 어린이집에 많은 변화를 주었다. 부모는 불안하여 외출을 삼가고 아이와 집안에서 종일 시간을 보내게 되었다. 어린이집도 못 가고 바깥에서 뛰어놀 수도 없는 아이는 TV, 스마트폰, 장난감을 가지고 놀며 하루를 보낸다. 어린이집의 상황은 어떠했나? 아이와 교사가 마스크를 착용하여 서로의 표정과 입을 볼 수 없고 외부 활동도 못 하였다. 서로 간의 접촉이나 스킨십도 제한적이었다. 앞으로 어떤 어려움이 닥칠지 모르는 불안한 시대에 부모는 아이와 몸으로 적극적으로 놀아주어야 한다.

가장 건강하고 적극적인 소통은 신체접촉이다. 바로 몸놀이다. 아이는 접촉을 통해서 감각을 발달시킨다. 아이와 비행기 태우기 놀이를 하면 아이의 몸이 뜰 때 균형을 잡기 위해 힘이 들어간다. 떨어지지 않기 위해 손에 힘이 들어가고 팔에 힘이 들어간다. 아이는 몸을 어떻게 움직여야 하는지 감각을 어떻게 조절해야 하는지를 자연스럽게 배우게 된다.

놀다가 넘어지기도 하고 부딪히기도 한다. 아프고 속상하다. 슬프기도 하다. 아픈 것은 다양한 감정의 경험을 하게 한다. 바깥놀이 시간에 잡기 놀이를 하다 한 친구가 넘어져서 울었다. 넘어진 친구에게 다가가 "많이 아파? 아파서 우는 거지?"라며 친구를 위로해 주며 공감해 주는 아이가 있었다. 그 아이는 "나도 넘어졌을 때 아파서 울었어."라고 말했다.

어린이집에서 놀다가 아이가 다치는 경우가 있다. 아이에게 상처가 생기면 선생님들은 초긴장 상태가 된다. 다친 아이의 부모가 속상할 것을 알기에 죄송스럽다. 그럼에도 불구하고 괜찮다며 선생님 놀라셨겠다고 걱정해주시는 부모님을 만나면 감사할 따름이다.

우리는 아이에게 놀이가 중요하다는 것을 잘 알고 있다. 그런데 놀이의 진정한 의미는 알고 있을까? 아이가 혼자 그림책을 보고 교구를 가지고 알아서 노는 것도 놀이라고 여긴다. 또는 놀이에는 장난감이 필요하다고 여긴다. 장난감이 없어도 재미있게 놀 수 있는 것이 몸놀이다.

오늘부터 아이와 몸놀이를 즐겨보자. 발등에 아이를 올리고 걸어보자. 목마도 태워주자.
신나는 음악을 틀어놓고 아이와 같이 춤을 춰보자. 막춤이라도 상관없다.
아이가 건강하게 자라려면 우선 몸놀이를 해야 한다.

가르치지 말고 반응하라

2017년 겨울, 대학 세미나에서 한국RT센터 김정미 원장님의 RT 강의를 듣게 되었다. RT 철학에 매력을 느껴 한국RT센터에 가서 전문가과정을 공부하며 RT와의 인연은 시작되었다.

내가 생각하는 RT의 매력은 아동 중심, 일과 중심, 아이와 부모가 함께 하는 가족 중심, 반응성 상호작용 전략이 있다는 것이다. 우리 어린이집에서는 교사교육, 부모교육을 꾸준히 하고 있다. 더불어 주변 어린이집에도 RT를 알리는 홍보대사역을 자처하고 있다.

그럼, 간단하게 RT를 소개해 보도록 하겠다.

Gerald Mahony 교수는 '관계기반 부모-아동 반응성 상호작용 중재 프로그램인 반응성 교수 교육과정(Responsive Teaching Curriculum: 이하 RT)'의 저자이다.

반응성 교수(Responsive Teaching)는 관계기반 발달 중재 프로그램 반응성 상호작용 중재 프로그램인 반응성 교수 교육과정이다.

RT는 구성주의 관점으로 아동을 바라본다. 아이는 태어날 때부터 이미 많은 능력을 지니고 있다. 아이가 능동적으로 학습할 때 발달한다고 본다. 또한, 발달은 유전과 환경의 상호작용에 의해 이루어진다고 한다.

아이의 발달에는 일정한 순서가 있다. 예를 들어, 언어발달은 울음으로 시작하여 옹알이, 한 단어, 두 단어, 한 문장 순으로 발달하는 것을 알 수 있다. 옹알이하는 아이가 어느 날 "엄마, 우유 주세요." 하지는 않는다.

아이의 발달 속도는 개인차가 있다. 10개월에 걷는 아이도 있고 15개월에 걷는 아이도 있다. 아이를 이해할 때는 먼저 아이의 현재 발달 수준, 즉 현재할 수 있는 것에 초점을 둔다.

아이는 부모와 함께할 때 잘 배운다. 아이의 발달에 가장 큰 영향은 바로 부모이다. 부모는 아이와 정서적으로 매우 친밀한 유대관계가 있고 일상에서 많은 시간을 보낸다. 부모가 하는 말이나 행동이 아이에게 큰 영향력을 미친다.

RT 전략 중 대표적인 전략인 '아동의 세계로 들어가기'에 대해 알아보자.

아동의 세계로 들어가려면 부모는 아이가 세상을 보는 것과 똑같이 보아야 한다. '내가 뭘 해줄까'가 아닌 '아이가 무엇을 하고 있는지'를 보아야 한다. 아이는 자신의 흥미와 관심이 있는 것에 집중한다. 아이의 눈길이 머무르는 곳을 보면 알 수 있다. 아이와 상호작용을 할 때 부모의 말로 시작하는 것이 아니라 아이를 관찰하는 것으로 시작해야 한다.

아이와 같은 방식으로 세상을 보기 위해서는 아이와 신체 높이를 맞추고 마주 볼 수 있도록 한다. 아이의 시선을 따라가며 아이가 현재 관심을 두고 있는 것을 확인한다. 아이와 눈 맞춤을 한다. "엄마, 눈 봐봐. 이렇게 하면 안 돼. 알았어?" 주로 부모에게 야단맞을 때 눈 맞춤을 경험한 아이나 발달이 늦은 아이들은 눈 맞춤이 안되는 경우가 더러 있다. 부모가 상호작용하는 동안 지속적으로 눈 맞춤을 하면 아이도 눈 맞춤을 한다. 그리고 아이가 표현하는 방식대로 대화한다.

우리 어린이집에서는 부모참여수업을 할 때 아이와 부모가 마주 보고 앉아 활동한다. 눈을 맞추고 아이에게 반응해 주는 부모님 덕분에 아이는 40분 동안 자리를 이탈하지 않고 재미있게 활동한다. 아이들이 행복해하는 모습은 정말 감동 그 자체이다.

36개월 된 여아가 어린이집에 입학했는데 언어발화가 안 되고 눈 맞춤도 안 되었다. 검사를 받았는데 자폐 3급 진단을 받았다. 지푸라기라도 잡고 싶은 엄마의 간절함에 RT부모교육을 하기로 했다. 엄마와 아이는 6개월 동안 1주일에 한 번씩 RT를 하였고 가정에서 비디오 촬영을 한 영상으로 피드백하였다. 아동의 세계로 들어가기를 통해 아이는 눈 맞춤을 하게 되었다. 아이의 '아' '으' 소리를 따라 엄마가 '아' '으'하고 반응을 해주니 시간이 갈수록 더 말을 많이 하게 되었고 단어를 시작으로 간단한 문장을 말하게 되었다.

더욱 놀라운 것은 또래 친구들에게 관심을 보이며 어울려 놀이를 하기 시작하였다. 엄마는 아이의 변화에 감사의 인사를 전하였지만 나는 전적으로 엄마의 노력과 사랑의 결과라고 생각한다. 지금 아이는 수다쟁이가 되었고 내년에 초등학교 일반 반에 입학한다.

RT부모교육에 참여한 부모님들은 아이가 많이 변했다고 신기하다고 하신다. 부모가 아이에게 가르치고 지시하는 것에서 아이의 주도에 따라 반응하는 것으로 바뀐 것뿐인데 아이가 놀랍게 변했다고 하였다. RT는 우리가 모르는 새로운 교육 방법도 아니고 기술도 아니다. 부모가 주도하는 것이 아닌 아이가 시작하기를 기다려주었다가 아이의 흥미와 관심에 따라 적절하게 반응해 주는 것이다. 덤으로 아이와 신뢰를 쌓게 되어 좋은 관계가 된다.

행복한 부모, 행복한 아이

우리는 내 아이가 좋은 대학에 가고, 좋은 직업을 갖기를 기대한다. 아이의 성공이 곧 부모의 행복이라 믿는다. 나는 아이를 키우면서 부모의 기대나 욕심은 내려놓아야 함을 배웠다. 부모가 욕심을 내려놓고 아이에게 맡기고 기다려줄수록 아이는 능력을 발휘한다. 그런데 부모는 '내려놓기'가 왜 이리 힘든지. 내려놓으면 부모의 마음이 한결 편해진다. 아이에게 무리한 요구나 성취 압력을 주지 않게 되기 때문이다. 내려놓음을 하지 못하면 부모와 자녀관계가 좋지 않게 된다.

너무 걱정하지 않아도 된다. 아이는 실패도 해 보고 어려움도 느껴보며 스스로 방법을 찾아간다. 부모는 지지와 격려를 보내는 역할을 하면 된다.

세상에 완벽한 부모는 없다. 아무리 훌륭한 부모라도 완벽하지는 않다. 부모는 최선을 다할 뿐이다. 아이가 잘 자라기를 바란다면 하루에 30분이라도 아이와 놀아주자. 아이가 놀이를 선택할 기회를 주고 아이의 행동과 의사소통을 모방하여 반응해보자. 아이는 부모가 자신처럼 행동하는 것을 보며 통제감을 느끼고 능동적 수행이 증가한다. 반응 육아를 통해서 부모님들이 편안한 육아를 하길 바란다.

부모가 행복하면 아이도 행복하고 아이가 행복하면 부모도 행복하다.

끝으로, 감사일기를 쓰면서 감사하는 습관을 갖기를 바란다.

그 사람이 얼마나 행복한가는 그 사람이 느끼는 감사의 깊이에 달려 있다.-존 밀러

감사일기를 쓰면서부터 내 인생은 완전히 달라졌다. 나는 비로소 인생에서 소중한 것이 무엇인지, 삶의 초점을 어디에 맞춰야 하는 알게 되었다.-오프라 윈프리

세상에서 가장 지혜로운 사람은 배우는 사람이고, 세상에서 가장 행복한 사람은 감사하며 사는 사람이다.-탈무드

아이를 꼭 안아주며 "○○아, 사랑해! 엄마 아들(딸)로 태어나줘서 고마워!"라고 말해주자.

자기 스스로 사랑받고 존중받을 만한 아이라고 여기며 살아간다면 아이는 자신을 소중하게 여기며 가치 있는 것을 잘 선택하며 살아가는 사람이 될 것이다.

세상의 모든 부모를 존경하며 응원한다.